Trésors
de la
Chine impériale

Trésors de la Chine impériale

Musée national du Palais
Taipei

Maxwell K. Hearn

Herscher

Cet ouvrage est publié à l'occasion de l'exposition
*Splendors of Imperial China : Treasures from the National Palace Museum,
Taipei*, présentée du 19 mars au 19 mai 1996 au Metropolitan
Museum of Art, New York ; du 28 juin au 25 août 1996
à l'Art Institute of Chicago ; du 14 octobre au 8 décembre
1996 à l'Asian Art Museum of San Francisco ; du 27 janvier
au 6 avril 1997 à la National Gallery of Art, Washington, D.C.

L'exposition est organisée par le Musée national du Palais,
Taipei, et le Metropolitan Museum of Art, New York.
Elle est financée par : The Henry Luce Fondation, Inc. ; Starr
Fondation ; The National Endowment for the Humanities ;
The National Endowment for the Arts ; avec une aide du
Federal Council on the Arts and the Humanities et de la
Chiang Ching-Kuo Foundation. China Airlines a fourni son
assistance au transport.

Toutes les photographies ont été commandées à Bruce White
par le Metropolitan Museum of Art, et prises à Taiwan.

FRONTISPICE : *Dragon parmi les fleurs*, détail d'une tapisserie de soie.
31,3 x 22,5 cm. Dynastie Song du Nord, début du XIIe siècle.

Traduit de l'anglais par Marie Salsa
Adaptation PAO : Octavo Éditions

Imprimé par Arnoldo Mondadori, S.p.A., Vérone, Italie
N° d'édition : H 268-01
Dépôt légal : août 1996

Sommaire

Avant-propos

En 1912, à l'avènement de la République de Chine, P'u Yi, le dernier empereur de la dynastie Ch'ing, fut destitué, et le palais impérial de Pékin, la "Cité interdite", devint le Musée national du Palais. Entre décembre 1948 et février 1949, devant les troupes communistes victorieuses, le gouvernement nationaliste expédia une partie des trésors du patrimoine chinois à Taiwan. L'actuel Musée national du Palais fut inauguré en 1965 à Taipei.

Ce musée abrite plus de six cent mille œuvres d'art. Beaucoup proviennent de la collection personnelle de l'empereur Ch'ien-lung, qui régna de 1735 à 1796. Le choix des œuvres fut conditionné par le goût de l'Empereur. Malgré quelques lacunes, la collection fournit un panorama incomparable de l'évolution de la civilisation chinoise, de ses débuts jusqu'à la fin du XVIIIe siècle. Aucune culture n'a su travailler une plus grande variété de matières — jade, bronze, argile, laque, soie, papier, verre, bois, bambou, ivoire, gourde, encre... — et aucune autre collection n'offre une vision plus encyclopédique de cette diversité.

A deux reprises, l'Occident eut un avant-goût des splendeurs de cette collection, à Londres en 1935-1936 et aux États-Unis en 1961-1962. Le temps était donc venu d'une troisième exposition : c'est aujourd'hui, organisée par le Metropolitan Museum of Art de New York, la plus importante sélection d'art chinois jamais vue à l'Ouest. Elle comprend en effet 475 chefs-d'œuvre, dont 140 peintures et calligraphies et 335 jades, bronzes, porcelaines, laques et objets divers. Certains n'ont aucun équivalent ailleurs dans le monde. C'est pourquoi nous sommes particulièrement reconnaissants à M. Chin Hsiao-yi, directeur du Musée national du Palais, et à ses collaborateurs, d'avoir rendu possible cette exposition exceptionnelle. La sélection a été effectuée par le département d'Art asiatique du Metropolitan Museum of Art, en la personne de M. Wen Fong, président consultatif, et de M. James Watt, conservateur en chef.

Un livre de 664 pages présente les œuvres exposées, jalons d'une histoire exhaustive de l'art et de la culture de Chine : *Possessing the Past : Treasures from the National Palace Museum, Taipei*. Le présent ouvrage en est une version abrégée ; l'auteur, Maxwell Hearn, conservateur au département d'Art asiatique du Metropolitan Museum of Art, a participé activement à l'organisation de l'exposition. En nous montrant, dans un ordre chronologique, 107 chefs-d'œuvre exécutés dans divers matériaux, ce livre fait apprécier la diversité des expressions artistiques et met en évidence quelques-unes des qualités essentielles qui distinguent l'héritage culturel chinois de celui de l'Occident. Mais avant tout, ces œuvres d'art, comme toutes les grandes créations dans le monde, exercent une fascination qui est universelle.

Détail de calligraphie de Huai-su. Voir pp. 20-21.

PHILIPPE DE MONTEBELLO
Directeur du Metropolitan Museum of Art

L'héritage des temps antiques

Vieille de cinq mille ans, la civilisation chinoise prend ses racines dans l'ère néolithique et dans l'âge du bronze. Aussi le jade et le bronze sont-ils les témoins essentiels des premières cultures. Les objets tirés de ces précieux matériaux servaient d'ornements ou d'instruments au cours des pratiques rituelles.

La majorité des jades néolithiques proviennent de tombes. Ces pièces de néphrite multicolore ont la forme de haches, de couteaux et autres outils ; d'autres formes, telles que le disque perforé (*pi*) et le tube carré (*tsung*), restaient purement géométriques et abstraites. Ces objets ne montrant aucune trace d'usage, on pense qu'ils jouaient un rôle symbolique lors des sacrifices aux dieux et aux ancêtres.

Pendant l'âge du bronze, l'évolution des jades et des bronzes correspond à des changements politiques. Sous la dynastie Shang (vers 1600-1100 av. J.-C.), centrée en Chine du Nord-Est dans la vallée inférieure du Fleuve Jaune, les rois tenaient leur autorité d'ancêtres divins à qui ils faisaient des offrandes de vin et d'aliments dans des vases de bronze massifs. Ces récipients rituels étaient utilisés sur des autels ou bien enterrés avec les membres du clan. On pense que leur décoration zoomorphe stylisée servait à protéger leur contenu. Les premiers bronzes étaient fondus dans un moule d'argile constitué d'un assemblage de multiples segments : c'est cette technique de fabrication qui leur donne leurs formes architectoniques et une décoration disposée en bandes horizontales.

Au XIe siècle avant notre ère, les Chou, un peuple du Nord-Ouest, renversèrent les Shang dont ils se prétendaient les successeurs légitimes, les Shang ayant perdu "le Mandat céleste" par leur mauvais gouvernement. La nouvelle dynastie régna plus de huit siècles, jusqu'en 256 avant J.-C. Les usages rituels des jades et des bronzes firent place peu à peu à des fonctions ornementales de prestige, et ces matières furent réservées à des manifestations ostentatoires de richesse et de pouvoir. Le territoire des Chou fut divisé en fiefs qui, progressivement, se contentèrent de rendre un hommage formel au roi. Les rivalités grandissant entre ces principautés féodales, les vases de bronze devinrent des symboles d'autorité politique, comme le montrent leurs inscriptions. Alors que les bronzes Shang ne portaient que le nom de l'ancêtre à qui ils

Vase à vin de bronze (hu), détail. Voir p. 14.

étaient dédiés, les bronzes Chou commémorent le vivant : ils sont gravés d'inscriptions immortalisant des événements tels que les exploits guerriers, les traités, les actes d'inféodation ou les mariages. La complexe iconographie zoomorphe des Shang fut remplacée par un décor occupant toute la surface où dominent des dragons entrelacés en motifs abstraits.

Les jades conservèrent leur rôle rituel durant l'âge du bronze tout en devenant un élément important de l'ornementation personnelle ; le répertoire des formes s'étendit donc considérablement. Sous les Shang et au début des Chou, les amulettes de jade avaient des formes animales et figuratives stylisées. Vers le milieu de la période Chou, les talismans sont travaillés et polis de plus en plus finement ; ils servent de bijoux proclamant le statut de leur propriétaire.

En 221 avant notre ère, le premier empereur de la dynastie Ch'in réalisa l'unification de la Chine. Cet empire allait se maintenir, avec des interruptions, jusqu'au XXe siècle. Si la dynastie Ch'in fut renversée au bout de quatorze ans seulement, la dynastie Han qui lui succéda dura quatre siècles. Contemporaine de l'Empire romain et gouvernant un territoire comparable en taille et en prospérité, cette dynastie couvrit une période de maturité et d'expansion économique et politique. C'est alors que furent fondées plusieurs constantes des modes de gouvernement postérieurs.

Avec l'unification de l'Empire, la loi humaine l'emporta sur celle des puissances surnaturelles, et plusieurs rites antiques disparurent. Les bronzes Han devinrent uniquement utilitaires, avec un décor réduit au minimum. Les poids et les mesures furent normalisés, et un code officiel fut établi. Les inscriptions n'indiquaient plus que le lieu de fabrication et la contenance : dans cette brièveté, le caractère légaliste de la société s'affirmait. Avec cette nouvelle foi en l'homme naquit le désir de reproduire magiquement le monde des vivants après la mort.

La sculpture en trois dimensions apparut avec les figurines de céramique qui accompagnaient le mort dans son voyage et avec un bestiaire fantastique, miniaturisé ou monumental. Le jade, signe de pureté physique et rituelle, était chargé de protéger le corps et d'aider l'âme dans son voyage vers le royaume céleste : la noblesse Han était enterrée vêtue de tuniques de jade, et les disques *pi* redevinrent un symbole d'immortalité. Une des conséquences les plus remarquables de l'unification politique fut la création d'une écriture commune aux nombreuses langues parlées dans l'Empire et qui continuent de coexister en Chine ; c'est l'un des attributs originaux de cette civilisation et l'une des clés de l'identité culturelle de ces peuples. L'écriture ne servait pas seulement à légitimer le pouvoir impérial, gravée sur les monuments officiels et sur les stèles somptuaires et funéraires, ou comme instrument de documentation et de législation : de sa naissance jusqu'à nos jours, elle fut révérée comme un art égal à la peinture et appréciée à la fois pour sa poésie visuelle et sa spontanéité expressive.

La calligraphie des Shang, des Chou et des Ch'in est appellée "sigillaire" ; ses caractères sont des pictogrammes de tailles et de formes diverses dont les traits dessinés ou gravés sont d'épaisseur constante. Sous les Han, la langue écrite évolua adoptant des formes rectilignes, standardisées : c'est l'écriture dite "de chancellerie". Les deux écritures sigillaire et de chancellerie ont des caractères frontaux et emblématiques. Chaque forme est équilibrée, construite, et les traits horizontaux et verticaux se croisent à angle droit. Lorsque le pinceau remplaça le stylet, au cours des IIᵉ et IIIᵉ siècles, l'écriture évolua rapidement vers sa forme finale, dite "régulière". Deux autres écritures, "courante" et "cursive" se développèrent parallèlement aux formes simplifiées, remplaçant l'aspect formel et la structure frontale pour le moins rigide de l'écriture de chancellerie par une série de traits spontanés, coulants, donnant des figures tridimentionnelles peu structurées.

Lorsque la dynastie Han s'effondra, la Chine connut quatre siècles de divisions, jusqu'à la restauration de l'unité impériale sous la dynastie T'ang (618-907). L'un des premiers actes du nouveau régime fut d'établir, officiellement, une nouvelle écriture, "régulière", qui conjugait les attributs de celles, plus fantaisistes, qui l'avaient précédée avec les formes solennelles et monumentales gravées dans la pierre. Désormais, l'évolution de ces cinq graphies de base – sigillaire, de chancellerie, régulière, courante et cursive – étant arrivée à son terme, les calligraphes étaient libres de choisir l'une ou l'autre pour explorer indéfiniment le potentiel expressif de ce patrimoine sacré.

Disque perforé (pi). Néphrite,
20,5 cm de diamètre. Entre la fin du Néolithique
et la dynastie Shang. Inscriptions du XVIIIᵉ siècle.

Chaudron tripode (ting) à usage sacrificiel
(pictogrammes à l'intérieur).
Bronze, 81,9 cm de hauteur, 58,4 cm
de diamètre. Fin de la dynastie Shang.

Jusqu'à la découverte de la jadéite, les Chinois utilisaient la néphrite : une variété de jade. Le jade est l'une des matières naturelles les plus dures et les plus difficiles à travailler. Il était donc inutilisable dans l'outillage ordinaire, mais la richesse de ses couleurs, son éclat après polissage, la qualité musicale des sons qu'il produit quand on le heurte, ont conduit les peuples néolithiques à en faire le matériau favori de leurs objets rituels et de leurs bijoux. On ne sait pas à quelles fonctions précises – probablement symboliques et rituelles – étaient consacrés les disques perforés, pi, qui, à cette époque, étaient souvent déposés sur les défunts. Plus tard, leur forme en fit une figuration du Ciel ; on les prisait donc comme signes de richesse et de légitimation politique. Au XVIIIᵉ siècle, l'empereur Ch'ien-long fit apposer des inscriptions sur celui-ci (à gauche).

Comme le jade, le bronze était signe de richesse et de pouvoir. Dans leurs sacrifices aux dieux et aux ancêtres royaux dont ils avaient acquis le droit de régner, les rois de la dynastie Shang utilisaient des vaisseaux en bronze. Souvent leurs formes dérivaient de poteries plus anciennes : le prototype de ce bronze tripode, ting, est une marmite de céramique. Sa taille imposante, l'utilisation sans retenue d'un matériau précieux, la force de l'iconographie animale et les inscriptions ; tout cela contribue à faire de cet objet, à l'origine utilitaire, une œuvre d'art chargée de puissance symbolique.

Paire de pendentifs de ceinture (*p'ei*)
en forme de dragons. Néphrite,
chacun 20,6 cm de longueur. Période des
Royaumes combattants.

Vase à vin (*hu*). Bronze, 63,8 cm de
hauteur, 20,9 cm de diamètre du col.
Fin de la dynastie des Chou occidentaux.
Voir détail page 8.

L'usage rituel des jades et des bronzes laissa une place
grandissante à l'ornementation. Pendant la dynastie Chou, ces
objets devinrent des manifestations ostentatoires de pouvoir et
de richesse. Les motifs complexes et les masques animaux Shang
(p. 13) sont simplifiés comme dans ce vase à vin en bronze où
le puissant entrelacs de serpents symétriquement noués remplit
une fonction désormais moins protectrice que décorative.
Les dragons de jade aux formes jumelles, ci-dessus, sont deux
éléments destinés à pendre de la ceinture d'un riche seigneur.
Entre les dragons était suspendue une perle qui, lorsque le
seigneur bougeait, heurtait le jade et produisait des sons qui
attiraient l'attention sur son orgueilleux propriétaire. Toute la
surface est recouverte d'un motif de boucles en cabochons,
obtenu à la suite d'un laborieux processus d'évidement des
fonds ; cela exigeait un degré de virtuosité technique que l'on
ne put surpasser qu'au XVIIIe siècle.

Mesure (liang) datée de 9 ap. J.-C. Bronze,
34 cm de diamètre du col, 25,5 cm
de hauteur. Interrègne de Wang Mang.

Avec l'unification et l'expansion de l'Empire par les dynasties
Ch'in (221-206 av. J.-C.) et Han (206 av. J.-C.-220 ap. J.-C.),
la loi humaine l'emporta sur celle des puissances surnaturelles,
et les rites antiques perdirent leur efficacité. Poids et mesures
furent uniformisés à travers tout le territoire, et les récipients de
bronze ne furent plus qu'utilitaires, avec un repertoire limité de
formes et de dimensions, ainsi qu'en témoigne le boisseau liang
ci-dessus. Dépourvu de toute signification rituelle et de tout
embellissement, il ne porte qu'une longue inscription qui
proclame la liste des nouvelles mesures standard de volumes
que le boisseau et les deux coupelles qui lui sont attachées sont
destinés à renforcer. L'homme ayant une conscience
grandissante de sa place au sein du cosmos, la quête de
l'immortalité devenait un nouvel objectif.
La chimère de néphrite, à droite, est un exemple de ce bestiaire
fantastique qui, à la fin de la dynastie Han, joue le rôle de
gardien des tombes ou de véhicule pour transporter les âmes
après la mort.

Chimère (*pi-hsieh*). Néphrite,
9,2 cm de hauteur, 13,6 cm de longueur.
Dynastie Han.

維開元十三年歲次
丑十一月辛巳朔十一
日辛卯嗣天子臣
隆基
敢昭告于
皇地祇臣嗣守鴻名以
茲不逮率循舊義立於
大極冗西苦未敢

Le pouvoir institutionnel, en Chine, était souvent manifesté au moyen de monumentales inscriptions sur bronze ou sur pierre. En 725, l'empereur Hsüan-tsung, des T'ang, fit l'ascension du mont T'ai pour sacrifier aux dieux du Ciel et de la Terre. Le texte qui commémore cet événement important du règne fut gravé dans un "volume" de pierre, à gauche, enterré sur le site de l'autel. Aussi bien le contenu du texte que son style (la solennelle calligraphie de "chancellerie" des débuts de la dynastie Han, aux IIe et Ier siècles avant notre ère) servaient à confirmer la légitimité du pouvoir de Hsüan-tsung sur le vaste empire.

Wang Hsi-chih, un calligraphe du IVe siècle en qui l'on voit le patriarche de l'écriture au pinceau, fut un maître de l'écriture courante, employée sans cérémonie dans les écrits personnels. Dans l'exemple, à droite, l'antique écriture "de chancellerie", à l'aspect frontal et rigide, a été supplantée par une écriture tridimensionnelle, très spontanée : la rapidité d'exécution est suggérée par les effleurements tournoyants du pinceau.

Calligraphie de "chancellerie", détail des tablettes de pierre commémorant les sacrifices de l'empereur Hsüan-tsung au T'ai-shan en 725. 29,2 × 29,8 cm. Dynastie T'ang.

Copie d'une calligraphie cursive de Wang Hsi-chih (303-361). Détail du rouleau horizontal *Trois passages de calligraphie, P'ing-an, Ho-ju et Feng-chü*. Encre sur papier Huang-ying, 24,8 × 46,7 cm. Début dynastie T'ang.

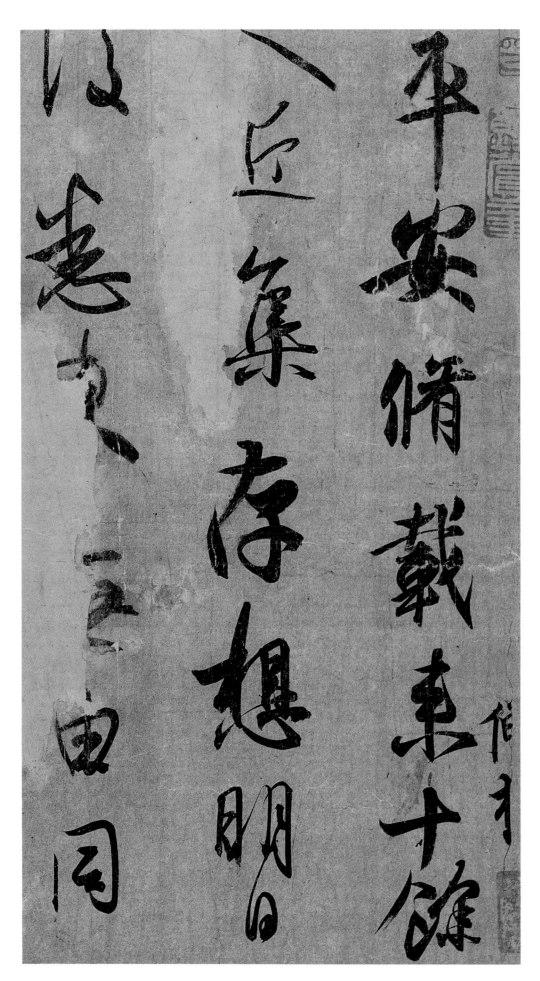

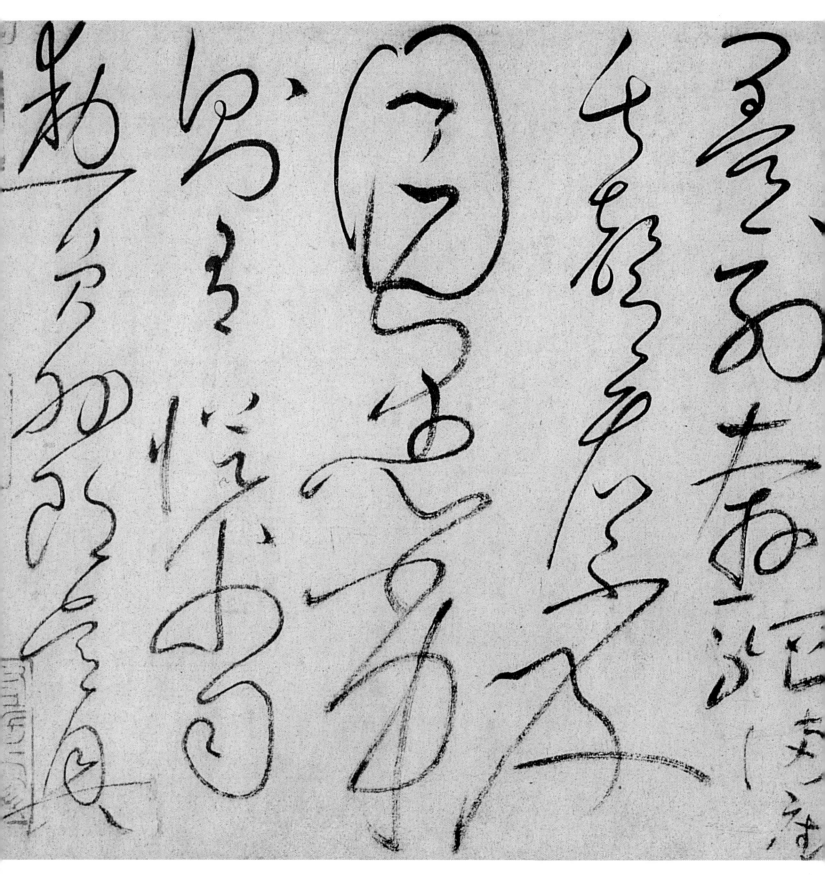

Calligraphie cursive datée de 777,
par Huai-su (vers 735-799).
Détail du rouleau horizontal *Essai
d'autobiographie*. Encre sur papier,
28,3 × 755 cm. Dynastie T'ang.
Voir p. 6.

Cet *Essai d'autobiographie* est la quintessence de l'écriture en tant
que mode spontané d'expression de l'esprit humain, des formes
et du mouvement de la nature. Huai-su, son auteur, était un
moine bouddhiste adepte de la secte Ch'an (ou Zen, en
japonais). Le Ch'an prônait la spontanéité et l'individualisme
dans la poursuite de l'illumination, plutôt que la stricte
observance des règles et du dogme. C'est sa propre nature

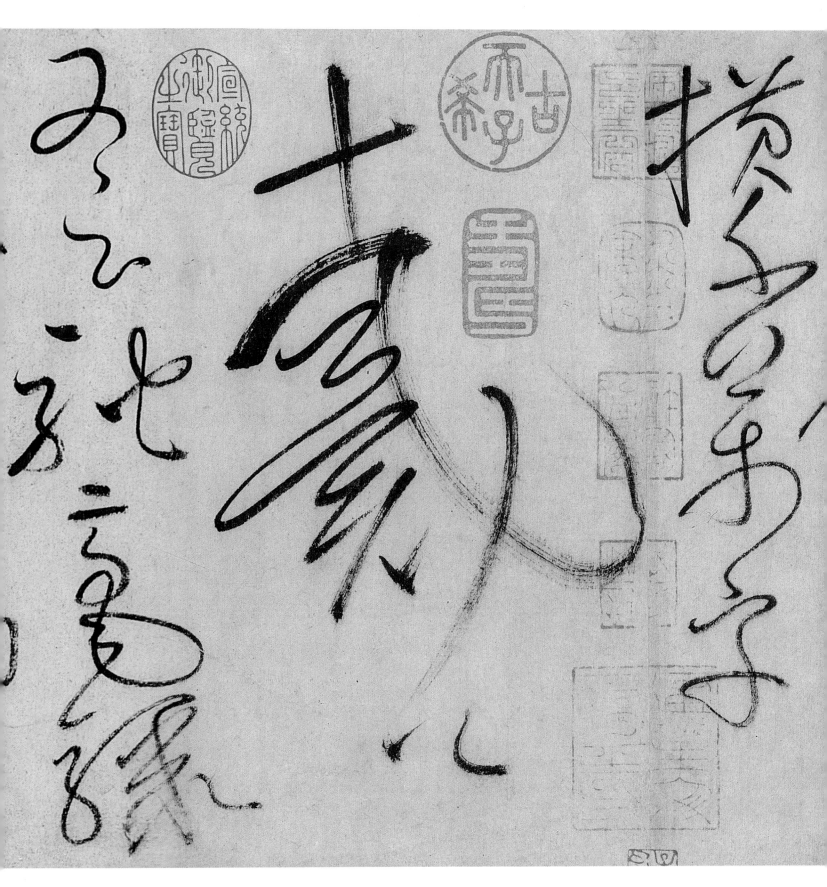

anarchique que le moine manifestait dans son style écrit. D'après ses contemporains, c'était en état d'ivresse qu'il travaillait le mieux. Alors, « son esprit et sa main, en quête de pure aventure, agissaient ensemble en parfaite harmonie ». On voit ici combien cette écriture, si elle a ses racines dans la cursive traditionnelle de Wang Hsi-chih (p. 19), en diffère radicalement : les caractères varient en taille et en forme et se lient entre eux comme dans un flot continu. Les traits de pinceau jaillis du corps courent sur le papier avec une vitesse explosive ; ces lignes sauvages sont transformées par l'artiste en force de la nature. « Une bonne calligraphie, dit-il un jour, est comme un vol d'oiseaux qui surgit d'un bosquet, comme un serpent surpris qui s'enfuit dans l'herbe, comme les fissures qui éclatent dans un mur qu'on ébranle. »

La dynastie Song :
un nouvel univers

La dynastie Song (960-1279) est, sur le plan culturel, l'une des plus brillantes de la Chine impériale. C'est une époque de grands changements sociaux et économiques qui a, dans une large mesure, défini le climat intellectuel et politique de la Chine jusqu'au XXe siècle. La première période de la dynastie – environ la moitié du temps de règne – est appelée "Song du Nord" (960-1127). La capitale était alors située à Pien-ching (actuelle K'aifeng) dans le Honan. En 1127, Pien-ching fut saccagée, et tout le Nord fut occupé par les Toungouzes Djurchen, un peuple nomade des steppes du Nord. Ces derniers se sinisèrent et établirent leur propre dynastie des Chin (1115-1234) tandis que les survivants de la cour Song s'enfuirent au sud du Yangtsé-kiang. Linan (actuelle Hangchow) devint leur capitale. Ils régnèrent sur un empire réduit pendant les cent cinquante ans suivants. Cette seconde période est connue sous le nom de "Song du Sud" (1127-1279).

Le premier empereur Song, T'ai-tsu, qui régna de 960 à 976 – contrairement aux empereurs T'ang qui gouvernaient en délégant le pouvoir aux familles nobles, bien souvent d'origine guerrière – dut son succès à la baisse de la puissance militaire et à la promotion d'une bureaucratie centralisée, entièrement confiée à des fonctionnaires civils. La ruine de la vieille aristocratie se traduisit par la concentration du pouvoir aux mains de l'Empereur. Un système national d'examens fut mis en place pour recruter les membres de l'administration : ainsi naquit une méritocratie de "mandarins" lettrés qui ne devaient plus leur autorité à une naissance noble mais à la réussite personnelle. La mobilité sociale ainsi encouragée, on assista à un développement rapide du commerce et des activités urbaines, à de remarquables progrès technologiques et à une forte croissance de la productivité. Une ère de paix et de prospérité s'ouvrait.

C'est sous les Song du Nord que s'épanouit l'une des expressions artistiques les plus remarquables de cette civilisation : la peinture de paysages. Pendant la période de chaos qui accompagna la chute des T'ang en 907, nombre d'intellectuels s'étaient réfugiés dans les montagnes, vivant dans les ermitages et les temples bouddhistes. Ils découvrirent dans la nature l'ordre moral qu'ils ne trouvaient plus chez les hommes. Peindre un paysage – projeter sur une surface le monde ordonné de la nature – c'était exprimer leur foi dans l'harmonieuse insertion de l'homme dans l'univers. Ces monumentales visions de paysages se retrouvent tout au long de la dynastie Song, avec néanmoins des changements iconographiques et stylistiques.

Détail de *Printemps précoce*, par Kuo Hsi. Voir pp. 32-33.

A la fin du XIe et au début du XIIe siècles, les efforts du gouvernement pour promouvoir des réformes économiques échouèrent et des troubles éclatèrent. Au lieu d'affirmer, comme au siècle précédent, leur foi dans la permanence immuable de la nature, les peintres produisirent les images romantiques d'un monde instable en effervescence. Le dernier empereur des Song du Nord, Hui-tsung, qui régna de 1101 à 1125, favorisa l'émergence d'un style de cour élégant, harmonieux et discipliné qui remplaça le sentiment de grandeur sensible dans la peinture des débuts. Cette nouvelle vision de la nature, plus réaliste et plus précise, annonce les paysages intimistes des Song du Sud.

Les peintres de la cour des Song travaillaient au sein d'une Académie impériale. A la naissance de la dynastie, le nouveau pouvoir avait recruté des artistes dans tout l'Empire pour répondre aux besoins de la Cour. Les traditions diverses que représentaient tous ces peintres se fondirent au fur et à mesure dans une commune manière – l'apogée de plusieurs siècles d'une évolution picturale – tendant à reproduire minutieusement le monde de façon naturaliste. Le mécénat de l'empereur Hui-tsung – lui-même grand peintre et calligraphe – et son action directe dans l'établissement de règles picturales et dans l'exigence de qualité technique furent menés à leur apogée ; toutes les académies impériales chercheront à l'imiter par la suite. Les académiciens se spécialisaient chacun dans un genre : peinture de paysage, peinture religieuse, historique ou animalière, peinture de fleurs et d'oiseaux ; toutes témoignent de l'observation la plus sensible et la plus méticuleuse.

Le passage d'une société dirigée par une aristocratie héréditaire à une société administrée par les fonctionnaires du pouvoir central eut une influence majeure sur l'art : répandus dans l'Empire, les fonctionnaires lettrés furent rapidement amenés à voir dans la poésie, la peinture et la calligraphie les moyens d'expression privilégiés de leur classe. Insatisfaits par la rigidité et le caractère trop sophistiqué de la calligraphie des débuts des Song du Nord, les lettrés du XIe siècle voulaient retourner à l'écriture spontanée et naturelle des siècles précédents. Ils appliquèrent ces nouvelles normes à la peinture, en rejetant le style descriptif et très réaliste des peintres académiques professionnels, ainsi que la version officielle selon laquelle l'art dût être uniquement au service de l'Empereur. Pour les amateurs lettrés, la peinture et la calligraphie devaient être pratiquées comme un divertissement.

Sous les Song du Sud, les ateliers impériaux et ceux qu'animaient des familles de professionnels perpétuèrent la tradition à travers des apprentissages rigoureux. Cette société hautement raffinée recherchait un art de vivre esthétisant, et la peinture reflète souvent la conviction que la beauté n'est qu'éphémère et les plaisirs mortels. Les images poétiques font appel aux sens et saisissent les qualités particulières et passagères de l'instant. Les sites favoris des peintres des Song du Sud sont les environs de leur capitale Hangchow et, notamment, le lac de l'Ouest qu'ont rendu si célèbre ses rives ombragées de saules pleureurs et encadrées de collines fertiles ponctuées de palais, de jardins, de temples bouddhistes.

L'élégance et la perfection technique des arts décoratifs étaient incomparables. Dans ce domaine, comme en peinture, les goûts allaient en deux sens opposés : une esthétique de "cour impériale" et une autre "d'art populaire". Le marché regorgeait de produits de luxe qui montraient une extraordinaire combinaison de goût et de virtuosité technique, tandis que les bronzes utilisés dans les cérémonies officielles, les laques et les céramiques réservées à l'usage de la Cour, les soies des costumes officiels s'inscrivaient dans la tradition et imitaient des modèles anciens. Au début de la dynastie Song, les objets rituels créés pour la Cour étaient des reconstitutions inspirées de vagues documents antiques, mais au cours du XIe siècle, les lettrés se fondèrent de plus en plus sur de véritables objets d'art antique pour étudier le passé. Les amateurs se mettaient à collectionner avidement des bronzes, des jades et autres objets découverts dans des fouilles archéologiques, et qui devenaient à leur tour des modèles pour les ateliers impériaux de reproduction.

Les plus prisés des arts décoratifs des Song sont les céramiques ; beaucoup y voient les chefs-d'œuvre absolus des potiers chinois. Les céramiques sont le point culminant d'une évolution étalée sur plusieurs siècles d'expérimentation et de développement technique. Les récipients utilitaires se sont peu à peu transformés en objets d'art raffinés, des objets qui symbolisent la sensibilité artistique de l'époque. Elles portent le nom du four qui les produisait, et les plus belles sont caractérisées par des formes simples et élégantes couvertes de somptueuses glaçures. Les formes obtenues au tour exploitent admirablement les propriétés de la terre ; la douceur des contours et la rigueur de la structure permettent à l'amateur d'apprécier pleinement la beauté des glaçures : monochromes pour la plupart, elles sont doucement lustrées et d'une lumineuse transparence, bien différentes de l'éclat dur des couvertes postérieures. Souvent, le potier exploite volontairement les accidents de cuisson pour obtenir des effets particuliers, comme d'épaisses coulées en forme de larmes, ou bien des craquelures.

Les arts religieux prospéraient également. Le confucianisme, le taoïsme et le bouddhisme, réconciliés dans l'unité des "Trois doctrines", devinrent partie intégrante du milieu culturel Song. Moines bouddhistes et mandarins confucéens s'influençaient mutuellement. Cérémonies pittoresques et temples richement dotés enrichissaient la culture populaire. Une région d'obédience bouddhique, le royaume de Tali, situé dans l'actuel Yunnan, recevait les influences religieuses du Tibet et des pays d'Asie occidentale. Lorsqu'à l'époque mongole ce royaume de Tali sera absorbé par l'Empire chinois, il jouera un rôle particulièrement important dans l'introduction en Chine de doctrines et d'iconographies étrangères.

Portrait de T'ai-tsu, le premier empereur Song.
Anonyme, vers 960-1000. Rouleau vertical, encre et couleurs
sur soie, 191 × 169,9 cm. Dynastie Song du Nord.

Le portrait de l'empereur T'ai-tsu, fondateur de la dynastie Song qui régna de 960 à 976, allie l'observation méticuleuse et l'idéalisation volontaire pour créer une image imposante du "Fils du Ciel". Vêtu d'une volumineuse robe blanche et coiffé du bonnet impérial dont les rubans horizontaux sont raidis dans la laque, l'homme est une figure monumentale qui incarne la puissance et la stabilité du régime.

Le portrait de son arrière-petit-fils, Jen-tsung, qui régna de 1023 à 1063, révèle d'impressionnantes différences. On constate un plus grand souci de réalisme – notamment dans les motifs du tapis de siège et dans le décor gravé du trône – qui diminue de cette façon l'image imposante de l'Empereur. Au lieu de magnifier le pouvoir et la majesté de Jen-tsung, ces détails mettent en valeur le caractère sensible et modeste de l'Empereur-artiste, qui semble presque gêné de porter les insignes royaux.

Portrait de Jen-tsung, le quatrième empereur Song. Anonyme, XIᵉ siècle. Rouleau vertical, encre et couleurs sur soie, 188,6 × 128,9 cm. Dynastie Song du Nord.

Ce majestueux paysage peint par Fan K'uan mesure près de 2 m de haut et présente la vision hiérarchique d'un ordre cosmique. Peint au début de la dynastie des Song (960-1279), lorsque la société sortait tout juste du morcellement qu'avait engendré la chute de la dynastie T'ang, ce paysage communique la conviction profonde que la nature peut servir de modèle à la société humaine : le pic central surplombe un paysage sagement ordonné, comme un empereur qui trône, entouré de ses ministres, de sa Cour et de la foule de ses sujets. Pour décrire les vastes dimensions de la montagne, le peintre utilise une échelle dont la magnitude varie en trois bonds : il figure au premier plan une minuscule caravane de mules, au plan intermédiaire d'énormes arbres, à l'arrière-plan les falaises rocheuses d'une montagne lointaine qui semble écraser tout ce qui l'environne. Des espaces vides au fond, au milieu et devant, forment des pauses significatives entre chaque champ de vision – du plus proche, mesurable, au plus lointain, qui est non mesurable, donc infini. Fan complète cette illusion d'espace infini par la description détaillée des surfaces rocheuses, des feuillages et des personnages, donnant ainsi à sa peinture la crédibilité d'une vérité éternelle.

Voyageurs dans les gorges d'un torrent, par Fan K'uan (mort après 1023). Rouleau vertical, encre et couleurs sur soie, 206,4 × 103,5 cm. Dynastie Song du Nord. Détail à droite.

Cette image de cerfs dans une forêt d'automne (à gauche), quoique stylisée et décorative, évoque l'héritage des peuples nomades venus d'Asie centrale, les Tartares Khitans. Quoique largement sinisés au Xᵉ siècle, les Khitans continuaient de revendiquer leurs traditions dans les arts en décrivant des scènes de chasses au cerf en automne et, au printemps, des cygnes et des oies sauvages. Alors que cette représentation (à gauche) est atemporelle et idéalisée, la peinture d'animaux réalisée un siècle plus tard par Ts'ui Po (à droite) s'attache de plus près à décrire la réalité présente. Ce ciel sombre, cette terre nue font ressentir l'approche de l'hiver. Le vent froid plie les bambous et remue les feuilles de chêne desséchées. Le lièvre effrayé est immobilisé par le cri perçant du geai. Les traits de pinceau visibles mettent en relief le méticuleux détail de la fourrure douce.

Cerf et biches parmi les érables rouges.
Anonyme du Xᵉ-début XIᵉ siècle.
Détail d'un rouleau vertical,
encre et couleurs sur soie,
118,4 × 64,4 cm.
Dynastie Liao ou Song du Nord.

Lièvre et pies, daté de 1061,
par Ts'ui Po (actif entre 1060 et
1085). Rouleau vertical,
encre et couleurs sur soie,
194,3 × 103,2 cm. Dynastie
Song du Nord.

Contrairement à l'univers
intemporel et immuable que
l'on trouve chez Fan K'uan
(p. 28), chez Kuo Hsi – un
grand maître des Song du
Nord – le monde est en
mouvement continu, le
cosmos en mutation
perpétuelle. Les formes
mobiles de la montagne, que
le peintre construit en couches
de lavis pâle aux contours
d'encre sombre, créent
l'illusion d'une masse qui,
tour à tour, émerge des voiles
de brouillard qui la drapent et
s'y enfonce. La vue d'espaces
profonds en arrière-plan
alternant avec d'impénétrables
murailles rocheuses qui
bloquent la perspective
provoque un effet d'oscillation
et de va-et-vient du regard. En
créant cette image qui évoque
les monts mystiques des
Immortels, Kuo Hsi préfère
imprégner le paysage
d'émotion humaine plutôt
que de rester objectivement
fidèle à la nature.

Printemps précoce, daté de 1072,
par Kuo Hsi (vers 1000-
1090). Rouleau vertical,
encre et couleurs sur soie,
158 × 108,3 cm.
Dynastie Song du Nord.
Détails à droite et page 22.

A la fin du XIᵉ siècle, la pratique de la calligraphie et celle de la peinture devinrent, pour la première fois, une seule et même discipline. Dans sa représentation d'un rameau de bambou (à gauche), Wen T'ung crée ses motifs comme s'il brossait une calligraphie. L'image reflète l'étude objective de la nature mais sa vitalité provient de la relation profonde de l'artiste avec son sujet et non d'un modèle particulier.

L'écriture du poète Su Shih, un ami de Wen T'ung, n'imite pas servilement des modèles antérieurs ; elle est une synthèse vivante des formes traditionnelles et des émotions personnelles du poète. Le contraste de l'épaisse encre noire et du papier velouté donne à la calligraphie de Su Shih une sensualité riche et sans précédent.

Su et Wen, inspirés par le bouddhisme Ch'an et son concept de la compréhension intuitive, pensaient que la spontanéité et l'intuition immédiate étaient les buts ultimes de l'art. Désormais, peinture et calligraphie seront des moyens équivalents d'expression individuelle.

Bambou, vers 1070, par Wen T'ung (1018-1079). Détail d'un rouleau vertical, encre sur soie, 132 × 105,4 cm. Dynastie Song du Nord.

Poèmes écrits à Huang-chou lors de la fête des Repas froids, vers 1082, par Su Shih (1037-1101). Détail d'un rouleau horizontal. Encre sur papier, 34,3 × 199,4 cm. Dynastie Song du Nord. Voir aussi p. 36.

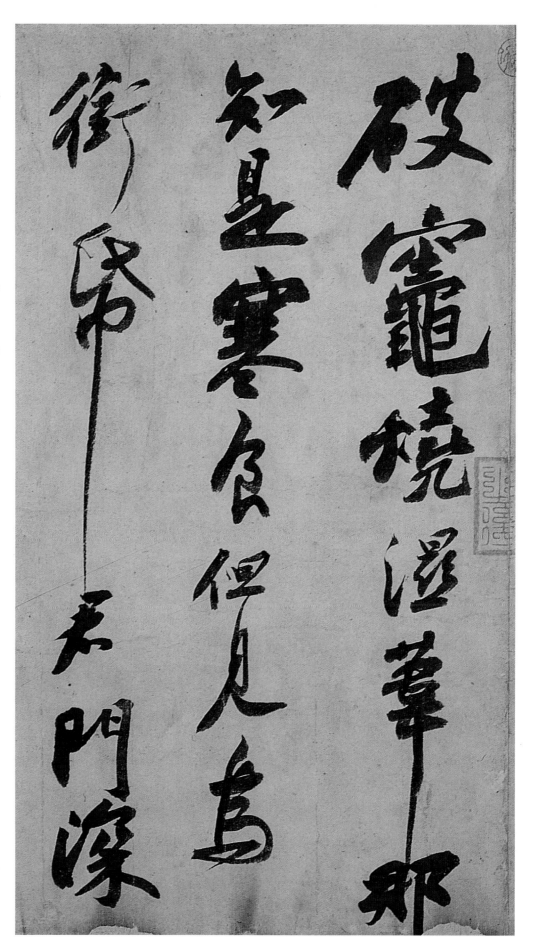

公楊少師書西

筆意減健使律

渴為之未必渴為

Assiette creuse de porcelaine
Chün. 18,7 cm de diamètre,
2,9 cm de profondeur.
Dynastie Chin ou Yüan.

Calligraphie de Huang T'ing-
chien (1045-1105) : détail
de colophon sur le manuscrit
de Su Shih, *Poèmes écrits à Huang-
chou lors de la fête des Repas froids*,
vers 1082. Voir aussi p. 35.
Dynastie Song du Nord.

Protégé de Su Shih, Huang T'ing-chien cherche à retrouver la
qualité informelle et spontanée de la calligraphie du IVe siècle
(p. 19). Dans ce colophon inscrit dans un espace vide du
manuscrit de Su Shih (p. 35), *Poèmes écrits à Huang-chou lors de la fête
des Repas froids*, l'artiste inverse les principes traditionnels de
symétrie, d'ordre et de structure parallèle pour adopter
l'assymétrie, l'irrégularité et les angles obliques. Ses traits de
pinceau tournent et se tordent, les caractères débordent sur
l'espace de leurs voisins et s'entrelacent pour produire une
composition lyrique en trois dimensions.

La porcelaine Chün (ci-dessus) montre, dans ses motifs abstraits,
la même volonté de créer des effets dynamiques : un opulent
émail pourpre est généreusement projeté sur le fond d'un bleu
opalescent. Les porcelaines Chün possédaient l'une des glaçures
les plus complexes de toute la Chine : les potiers savaient varier
les couleurs en manipulant les quantités d'oxyde de cuivre et
les cuissons réductrices, mais ne pouvaient jamais prévoir le
résultat final.

Deux poèmes, calligraphie de Hui-tsung,
dernier empereur des Song du Nord,
(1101-1125). Détail d'un rouleau
horizontal, encre sur soie, 26,7 ×
264,5 cm. Dynastie Song du Nord.

Au début du XIIᵉ siècle, le style lyrique et individualiste que Wen
T'ung (p. 34) et Su Shih (p. 35) avaient créé en réaction contre
le style imposé par l'Académie impériale fut admis par la Cour
et y exerça une influence importante. L'empereur Hui-tsung –
peintre remarquable et grand calligraphe – porta lui-même
l'originalité individuelle à un sommet. Son style était empreint
de raffinement et d'élégance, qualités qui caractérisaient son
goût dans tous les arts. La finesse de son graphisme – connu
sous le nom "d'or effilé" – est reconnaissable tant l'écriture est
contrôlée et disciplinée : ses caractères, construits de traits
étroits et nerveux, semblent plutôt gravés dans la pierre que
dessinés sur un papier absorbant.
Le même souci d'équilibre et d'harmonie transparaît dans la
gracieuse simplicité de cette coupe de céladon Ju. La porcelaine
Ju, expression suprême de l'art chinois en matière de céramique,
est caractérisée par une douce glaçure opalescente d'un vert
bleuâtre et par l'extrême simplicité de ses formes qui la
confondrait presque avec des objets de la nature. Produits pour
l'usage presque exclusif de la cour de Hui-tsung, ces chefs-
d'œuvre comptent aujourd'hui parmi les plus rares spécimens
de céramiques chinoises : on en connaît aujourd'hui moins
d'une centaine, les exemples les plus nombreux et les plus
beaux étant au Musée national du Palais.

Coupelle ovale. Céladon Ju,
14,3 × 9,8 cm, 2,5 cm de profondeur.
Dynastie Song du Nord.

Brûle-parfums de porcelaine *Ting*, imitant la
forme d'un récipient de bronze antique (*kuei*).
13,4 cm de diamètre du col,
10,8 cm de hauteur. Dynastie Song du Nord.

Vase de porcelaine *Ting*.
9,2 cm de diamètre,
15, 9 cm de hauteur.
Dynastie Song du Nord.

Les céramiques Song s'inspirent de nombreuses sources, telles
que les antiques vaisseaux de bronze, les bols et les coupes
d'orfèvrerie T'ang, ou encore des objets importés de l'étranger.
Les porcelaines *Ting*, de la dynastie des Song du Nord, à la glaçure
blanche, sont remarquables pour la diversité de leurs formes. Le
brûle-parfums ci-dessus, par exemple, imite un vase *kuei* du IXe
siècle avant notre ère destiné aux offrandes de nourriture, tandis
que le vase au long col, à gauche, semble avoir pris pour modèle
une fiole de verre importée.

Bien d'autre objets en céramique ne rappellent cependant aucun
modèle précédent et n'obéissent qu'au comportement naturel de
l'argile façonnée sur le tour du potier. C'est le cas du vase *mei-
ping*, à droite. Ce corps, incisé d'un motif de lotus, qui se gonfle
doucement, évoque la réponse instinctive des mains du potier
aux qualités de la matière.

Vase mei-ping. Porcelaine Ting au décor incisé de fleurs de lotus, 35,6 cm de hauteur. Dynastie Song du Nord.

Immortels dans un pavillon en montagne, début XIIᵉ siècle. Tapisserie de soie, 28,3 × 35,9 cm. Extraite de l'album *Lou-hui chi-chin ts'e*. Dynastie Song du Nord.

Le vent dans les pins, parmi les dix mille vallées, daté de 1124, par Li T'ang (vers 1070-vers 1150). Détail d'un rouleau vertical, encre et couleurs sur soie, 188,3 × 139,7 cm. Fin de la dynastie Song du Nord.

La renaissance de styles anciens affecta aussi bien la peinture que l'art textile. Li T'ang, le plus grand paysagiste de l'Académie impériale, au début du XIIᵉ siècle, puisa son inspiration chez Fan K'uan (pp. 28-29) et chez d'autres peintres du Xᵉ siècle pour évoquer cette montagne monumentale et cette dense forêt de pins. Mais Li agrandit les détails et les rapproche des yeux du spectateur. Il compresse les vastes espaces et il abandonne l'expression de grandeur au profit d'un réalisme plus minutieux. Les spectaculaires traits de pinceau hachés, alors qu'ils rappellent les œuvres du Xᵉ siècle – évoquant des surfaces de granit finement gravées en pointillé – sont ici nettement grossis. De la même façon, le motif de cette tapisserie – qui date à peu près de la même époque – est réalisé dans un esprit stylisé, à la manière ancienne. La vision onirique d'un âge d'or paradisiaque y est représenté. Cette scène, qui a pu être inspirée par une œuvre de l'empereur Hui-tsung lui-même, est remplie d'emblèmes taoïstes bénéfiques : une noble assemblée converse dans un banquet, au centre d'un paysage magique où l'on reconnaît les pêchers d'immortalité, des fleurs en plein épanouissement parmi lesquelles jouent des singes ; le ciel est rempli de nuages multicolores et de grues.

Bol en forme de lotus. Porcelaine Ju,
17,2 cm de diamètre du col,
10,3 cm de hauteur.
Dynastie Song du Nord.

La production artistique par l'Académie impériale de peinture durant les 152 années de règne des Song du Sud (1127-1279) va des paysages monumentaux aux scènes intimes de la vie quotidienne dans les jardins et les palais situés autour du pittoresque lac de l'Ouest, près de Hangchow. Pour ce genre de scène, un des supports favoris était l'éventail circulaire (à droite) : l'image peinte sur une face s'accompagnait sur l'autre face d'un poème – souvent calligraphié par un pinceau impérial. L'éventail constituait ainsi le cadeau idéal, petit mais de bon goût, à offrir à un membre de la Cour ou à quelque personnage influent. Un des exemples précoces de ce genre est cette peinture de Feng Ta-yu : une paire de canards mandarins, symbole d'harmonie conjugale, glisse parmi les lotus de l'étang. La nature inspirait également les céramistes. Le corps élégant de ce bol de porcelaine rappelle sans aucun doute la forme d'une fleur de lotus, bien que les bords festonnés et les flancs ondulés trouvent une origine plus proche encore dans un récipient d'argent du Xe siècle. Ces bols en forme de fleurs épanouies étaient conçus pour contenir un pichet de vin dont le contenu parfumé était suggéré par la forme florale.

Étang aux lotus, attribué à Feng Ta-yu (actif vers 1150). Éventail monté sur feuille d'album. Encre et couleurs sur soie, 23,8 × 25 cm. Dynastie Song du Sud.

Oreiller en forme d'enfant.
Porcelaine *Ting*, 31 × 13,3 cm,
18,7 cm de hauteur.
Dynastie Song.

Jeux d'hiver, attribué à
Su Han-ch'en (actif vers
1120-1160). Détail d'un
rouleau vertical, encre
et couleurs sur soie,
196,2 × 107 cm.
Dynastie Song du Sud.

Deux enfants jouent avec un petit chat dans l'espace clos d'un jardin de palais. Un prunier commence à fleurir, annonçant l'arrivée du printemps. Cette peinture faisait à l'origine partie d'un ensemble illustrant les quatre saisons. On l'attribue à Su Han-ch'en, le meilleur peintre d'enfants de la cour des Song du Sud. Le fait qu'il ait peint avec un si grand soin le portrait d'une fillette auprès de son petit frère montre que, dans un monde d'opulence et de privilège, les deux sexes étaient également valorisés. Cependant, pour la société chinoise, patriarcale et pratiquant le culte des ancêtres, il était essentiel que la lignée paternelle se poursuivît, et les fils étaient en général beaucoup plus précieux que les filles. C'est pourquoi les objets liés au mariage, à la vie familiale et domestique étaient décorés d'images de garçons. C'est le cas de l'oreiller ci-dessus, utilisé dans l'espoir de favoriser la naissance d'un fils.

Mère poule et ses poussins. Anonyme du XIIe siècle.
Détail d'un rouleau vertical, encre et couleurs
sur papier, 41,9 × 33 cm. Dynastie Song du Sud.

La description naturaliste n'a jamais atteint de plus hauts sommets qu'en Chine, au XIIᵉ siècle. Pour les artistes Song, fascinés par les détails intimistes de l'existence, aucune créature n'était indigne de leur affectueuse observation. Ce "portrait" d'un chaton par Li Ti, ou celui d'une mère poule, à gauche, sont des tours de force du genre appellé "plumes et poils". A travers ces descriptions spontanées, vivantes et précises, les peintres nous donnent une vision si fraîche du monde familier que nous devenons capables de communier avec leurs sujets. Parfois, ces images apparemment ordinaires sont chargées d'un message didactique – comme, par exemple, celle de la poule, au-dessus de laquelle sera plus tard calligraphié un poème de l'empereur Hsien-tsung des Ming qui régna de 1465 à 1487 : l'amour maternel de la poule qui gratte toute la journée le sol pour nourrir ses petits y est comparé à la bienveillance infatigable de l'empereur vis-à-vis de ses sujets.

Le chaton, par Li Ti (actif entre 1163 et 1197). Feuillet d'album, encre et couleurs sur soie, 23,5 × 24 cm. Dynastie Song du Sud.

迎風呈巧媚
泡露逞紅妍

Fleurs d'abricotier, détail, par Ma Yüan
(actif entre 1160 et 1225),
avec un colophon de l'impératrice Yang Mei tzu.
Éventail monté sur feuille d'album,
encre et couleurs sur soie, 25 × 25,4 cm.
Dynastie Song du Sud.

Peinte par un académicien de la cour des Song du Sud, Ma Yüan, cette branche fleurie d'abricotier obéit à la convention picturale de la "branche coupée" : le regard du spectateur est dirigé sur un seul fragment de la nature plutôt que vers une scène plus vaste. De même qu'un jardinier manipule la nature pour créer l'environnement favorable à une plante, le peintre choisit avec soin l'emplacement du motif dans l'espace du support. Équilibrant le motif, un poème de l'impératrice Yang Mei-tzu, protectrice de Ma Yüan, est inscrit en haut à droite : « Rencontrant le vent, elles offrent leur charme précieux ; humides de rosée, elles sont fières de leur beauté rose. » Il semble que la branche se tende vers le poème et s'ouvre en deux pour donner le cadre idéal à cette élégante et délicate calligraphie.

Bien qu'il ait peint cette branche d'après son imagination, il n'est pas impossible que Ma Yüan ait admiré une composition semblable – une floraison rose sur une branche sombre – savamment arrangée dans un vase de céladon couleur de jade, semblable à celui-ci. On produisait ces porcelaines dans les fours de *Lung-ch'üan*, pas très loin de Hangchow, la capitale des Song du Sud. L'épaisse glaçure lumineuse, obtenue par la cuisson de couches superposées, explique pourquoi cette céramique devint, au cours des XIIIᵉ et XIVᵉ siècles, l'une des plus appréciées en Chine et à l'étranger.

Vase en porcelaine *Lung-ch'üan*.
14,9 cm de diamètre, 25,4 cm de hauteur.
Dynastie Song du Sud.

Montagnes et torrents, purs et lointains, par Hsia Kuei (actif entre 1200 et 1240). Détail d'un rouleau horizontal, encre sur papier, 46,4 × 889 cm. Dynastie Song du Sud.

Dans un jeu éblouissant de traits de pinceau concis et de lavis d'encre dégradés, Hsia Kuei crée l'illusion d'un éloignement continu vers les profondeurs d'un espace deviné à travers des rideaux de brouillard imbibés de lumière : le spectateur est ainsi invité à pénétrer à l'intérieur des paysages monumentaux propres aux artistes de la dynastie Song. Exploitant les effets spectaculaires que permet le format même du rouleau horizontal, Hsia compose son immense paysage de près de 9 mètres de long en liant les uns aux autres des segments qui se dévoilent progressivement à l'instar des morceaux d'une

symphonie. La peinture se déroulant de la droite vers la gauche, elle débute par de vastes étendues liquides qui ne sont décrites que par une surface de papier vide – sans motif peint – rompue seulement par les trois barques. Une haute falaise surgit soudain, au pied de laquelle deux lettrés, accompagnés de leur domestique, s'avancent vers un pavillon pour admirer le panorama. Dans une grotte de la montagne, deux ermites dialoguent ou méditent. Le paysage devient de plus en plus accidenté ; des promontoires rocheux émergent dans le lointain, puis se dissolvent en ombres fantomatiques.

Vase en forme de gourde. Porcelaine *kuan*,
18,7 cm de hauteur.
Dynastie Song du Sud.

Le raffinement esthétique atteignit son apogée dans la Chine des Song au XIIIᵉ siècle. L'élite aimait en particulier la douce contemplation des plaisirs éphémères de la vie : assortir des poèmes à des peintures, savourer une tasse de thé, jouer de la cithare (*ch'in*). L'une des activités préférées de la société consistait à faire pousser des pruniers pour admirer, à la veille du printemps, une floraison délicate au parfum exquis qui ne durait que quelques jours. Dans cette peinture de Ma Lin, l'hôte se prépare à contempler les fleurs avec ses amis, selon l'une des vingt-quatre méthodes prescrites – ici à la lumière d'une lampe à huile sous la pleine lune.

C'est ce raffinement que l'on retrouve dans la forme, la couleur, la matière des céramiques. Mettant la perfection technique au service de la spontanéité et du naturalisme, le potier a décoré la surface de ce vase en forme de gourde d'un réseau de craquelures qui se produisent lorsqu'en refroidissant après la cuisson, la couverte se contracte plus vite que le corps du vase.

En attendant les invités à la lueur des chandelles,
par Ma Lin (actif entre 1180 et 1256).
Éventail monté sur feuille d'album, encre
et couleurs sur soie, 24,8 × 25,4 cm.
Dynastie Song du Sud.

禹

克勤于邦　烝民乃粒

癙數在躬　廟中允執

惡酒好言　九功由立

不伐不矜　振古莫及

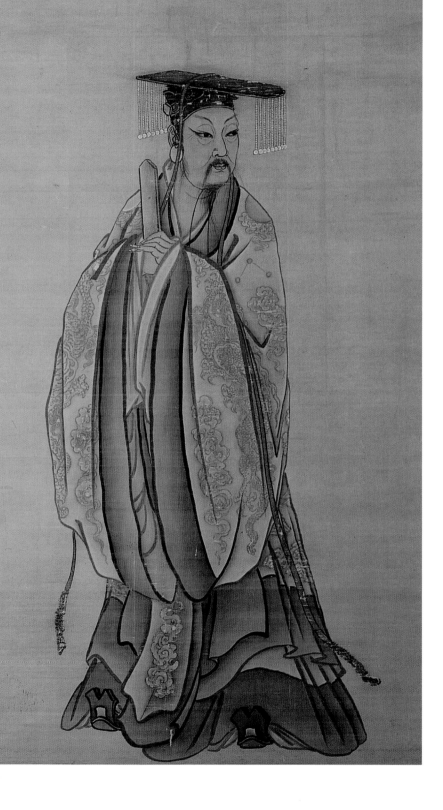

Peu après son accession au trône, à la suite d'un coup d'État, l'empereur Li Tsung, qui régna de 1225 à 1264, convoqua le meilleur des peintres de Cour, Ma Lin. Il lui commanda une série de "portraits" des souverains antiques et des sages confucéens ; lui-même inscrivit des poèmes sur ces imposants rouleaux verticaux. Les peintures font entendre que l'ultime critère de la légitimité politique est le mérite, non la naissance. Dans ce portrait, Yü le Grand, le fondateur légendaire de la dynastie Hsia trois mille ans plus tôt, tient entre ses mains le symbole de son autorité : une tablette de jade (kuei). L'origine et la signification première de ces tablettes sont obscures, mais celle qui figure à droite atteste de leur ancienneté : elle est en effet datable, grâce à son décor d'oiseaux héraldiques, d'environ 2 000 avant J.-C. Elle fut découverte au XVIIIe siècle. L'empereur Ch'ien-lung la fit restaurer et y fit graver un poème, daté de 1786, où il célèbre la découverte en y voyant un signe de sa propre légitimité.

Portrait de Yü le Grand, par Ma Lin (actif entre 1180 et 1256). L'un des 13 rouleaux verticaux de la série *Sages confucéens*. Encre et couleurs sur soie, 246,7 × 110,8 cm. Dynastie Song du Sud.

Tablette honorifique (*kuei*). Jade néphrite, 30,5 × 7,3 cm. IIe millénaire avant notre ère. Fin du néolithique-début de la dynastie Shang.

Quand le Bouddha Çakyamuni atteignit le nirvâna, il confia la protection de la Loi à seize disciples ou "arhats". Ces saints personnages indiens ("lohans" en chinois) seront plus tard considérés en Chine comme des thaumaturges révérés pour leurs pouvoirs surnaturels – comme celui de subjuguer les fauves ou celui de méditer si longtemps que les arbres poussaient autour d'eux. Durant les XIIe et XIIIe siècles, on insistait moins sur leurs pouvoirs terrifiants que sur leurs qualités humaines, et l'image des lohans devint plus réaliste. Dans *Images bouddhiques*, le peintre Chang Sheng-wen respecte encore des critères datant de l'époque T'ang (618-907) où les lohans sont retirés dans des lieux sauvages : Subinda, par exemple, est en méditation profonde dans le creux d'un vieil arbre, mentalement et physiquement retiré du monde environnant. Par contraste, le peintre de Cour, Liu Sung-nien, donne une interprétation plus humaniste de l'ermite et en fait un lettré assis dans un jardin contemporain, devant un paravent décoré de peintures. Son disciple vient instamment lui poser une question concernant un passage des saintes écritures.

Détail de l'un des 3 rouleaux verticaux restant d'une série de 16, intitulée *Portraits des seize lohans*, datée de 1207, par Liu Sung-nien (actif entre 1175 et 1207). Encre et couleurs sur soie, 117,2 × 55,9 cm. Dynastie Song du Sud.

Images bouddhiques, daté de 1180, par Chang Sheng-wen (actif à la fin du XIIe siècle). Détail d'un rouleau horizontal, encre, or et couleurs sur papier, 30,5 × 1613,2 cm. Royaume de Tali (Yunnan). Voir aussi pages 60-61.

Images bouddhiques, daté de 1180, par Chang Sheng-
wen (actif à la fin du XIIᵉ siècle). Détail d'un rouleau
horizontal, encre, or et couleurs sur papier,
30,5 × 1613,2 cm. Royaume de Tali (Yunnan).
Voir aussi p. 59.

Le long rouleau horizontal de Chang Sheng-wen, illustrant le panthéon bouddhique, s'ouvre par cette procession impériale multicolore où l'on voit défiler l'élite religieuse, civile et militaire du royaume de Ta-li, cet État indépendant contemporain de la dynastie Song et situé dans l'actuel Yunnan, au Sud-Ouest de la Chine. Le haut fonctionnaire, à l'extrême gauche, qui mène la procession porte une coiffure en forme de tiare, une robe volumineuse et une épée ornée d'une tête de dragon. Derrière lui se tient un moine tenant un bol à offrandes et, devant, un garçonnet, probablement l'héritier royal. Puis vient le roi, Tuan Chih-hsing, quatrième souverain de Ta-li qui

régna de 1172 à 1200 : il porte une haute couronne d'or et il est revêtu d'une robe somptueuse brodée de montagnes, de nuages, de flammes, dragons et autres symboles de sa puissance. L'immense rouleau de Chang, commandé par la Cour de ce royaume, nous révèle l'importance de cette région frontière qui fut la porte d'entrée des influences religieuses en provenance du Tibet et de l'Asie centrale. Après la chute du royaume de Ta-li et la victoire de la dynastie mongole des Yüan qui l'incorpore à l'empire chinois, la région continuera d'être un lieu de passage pour les doctrines religieuses et les thèmes iconographiques.

La dynastie Yüan : l'occupation mongole

Pour la première fois au cours de sa longue histoire, la Chine, durant la dynastie Yüan (1272-1368), fut assujettie par un peuple de conquérants étrangers : elle devint une part de l'immense empire des Mongols. Paradoxalement, pendant ce siècle d'occupation, non seulement la culture chinoise survécut, mais elle fut revigorée ; les Mongols à leur tour, comme tous les peuples étrangers qui avaient avant eux occupé l'une ou l'autre portion de la sphère culturelle chinoise, eurent recours, pour gouverner, aux traditions locales bien établies. Ainsi la dynastie Yüan renforça-t-elle encore quelques-uns des attributs les plus durables de la société chinoise : ses institutions impériales, le rôle dominant d'une élite cultivée dans l'administration de la communauté et sa capacité à se renouveler.

La première moitié du règne vit, de la part des fonctionnaires chinois, un effort concerté pour éduquer leurs conquérants et leur enseigner les règles de base de l'orthodoxie et du gouvernement confucéens. Cet effort déboucha sur des succès grandissants dans les années 1330 ; les khans mongols, installés dans leur capitale Tatu (actuel Pékin), abandonnaient peu à peu le contrôle sur leurs territoires d'Asie centrale et occidentale et assumaient au fur et à mesure le rôle d'empereurs chinois. Dans les décennies 1340 et 1350, cependant, la cohésion politique de l'Empire se désintégra : les factions se multipliaient à la Cour, la corruption et l'exploitation se généralisaient et une succession de calamités naturelles provoqua des soulèvements paysans, puis une rebellion ouverte et, finalement, la chute de la dynastic, cn 1367.

Kubilay Khan (1215-1294), le premier empereur Yüan, continua sur la voie de la conquête ouverte par son grand-père, Genghis Khan (mort en 1215). Proclamé "Grand Khan" en 1260, Kubilay avait chassé le dernier des prétendants au trône des Song du Sud dès l'année 1279, devenant ainsi le premier souverain étranger à la tête de l'ensemble de l'Empire chinois, le plus vaste du monde.

L'Académie impériale de peinture avait été supprimée sous Kubilay, mais la Cour commandait régulièrement aux artistes sculptures, peintures et arts décoratifs. Recrutés dans l'ensemble de l'Empire mongol, ces artisans introduisirent en Chine un nombre important d'influences étrangères, comme le lamaïsme tibétain, une forme de bouddhisme mâtiné de magie tantrique qui fut adoptée par les Mongols.

Détail de *Couleurs d'automne dans les monts Ch'iao et Hua*, par Chao Meng-fu. Voir pp. 68-69.

En dépit de l'assimilation progressive des monarques Yüan, cette conquête imposait à la Chine une nouvelle réalité politique. Les examens du service civil – ce moyen traditionnel de recruter des hommes de talent pour entrer dans l'administration – furent supprimés jusqu'en 1315, laissant sans emploi la majorité de la jeune élite instruite. En tant que classe, les lettrés étaient ignorés des Mongols ; ceux d'entre eux qui réussissaient à entrer au service du gouvernement n'obtenaient que des postes mineurs, petits bureaucrates ou modestes maîtres d'école, tandis que les hauts postes étaient occupés par des Mongols, des Turcs Ouïghours et autres Asiates, guerriers, mercenaires ou marchands venus de l'étranger.

Les Chinois du sud du Yangtsé, qui avaient résisté le plus longtemps à l'invasion mongole, étaient victimes d'actes volontaires de discrimination. Face à une politique absolutiste et traités de façon préjudiciable, beaucoup de fonctionnaires méridionaux interrompirent totalement leur travail au service du gouvernement et vécurent modestement dans une retraite qui leur laissait tout le temps de se consacrer à leurs disciplines artistiques favorites.

L'une des contributions culturelles les plus importantes du règne mongol fut de réunifier la Chine en 1279, après un siècle et demi de division. Non seulement deux cultures différentes furent ainsi amenées à fusionner, mais la tradition des Song du Nord, depuis longtemps oubliée au Sud, connut une renaissance. En s'inspirant de l'esthétique des derniers maîtres des Song du Nord, les artistes-lettrés de l'époque Yüan explorèrent les ressources de l'abstraction calligraphique et remplacèrent une peinture essentiellement figurative par des formes essentiellement expressives et pensées.

L'union de la peinture, de la calligraphie et de la poésie en une seule discipline artistique fut, à cette époque, l'un des moteurs les plus significatifs de l'expression personnelle. Les artistes de l'époque Yüan se mirent à calligraphier des poèmes sur leurs peintures, à la fois pour raconter les circonstances de la création et pour expliquer le sens des images. A leur tour, les amis auxquels ils offraient souvent leurs œuvres y apposaient leur nom, leurs sceaux et des commentaires ; de même, plus tard, les collectionneurs successifs. Un rouleau de peinture devenait ainsi à travers le temps un conservatoire des communications personnelles entre l'auteur et ses amateurs.

La peinture Yüan est par nature intimiste ; elle était l'œuvre d'une petite élite intellectuelle qui, cherchant un refuge loin des activités politiques, vivait dans la région du delta du Yangtsé. Partageant les mêmes goûts, les uns et les autres se recevaient pour converser, contempler leurs collections, écouter de la musique, peindre ensemble, composer des poèmes... D'innombrables peintures décrivent les résidences où avaient lieu ces réunions amicales. L'atelier du lettré, sa bibliothèque, son jardin devinrent les emblèmes d'une existence définie par le refus de participer à la vie publique. Tandis que ces intellectuels Yüan exploraient les capacités d'expression du pinceau, les peintres professionnels restaient fidèles aux formules traditionnelles : au Nord, ils peignaient des paysages monumentaux, dans la lignée des Song du Nord, tandis qu'au Sud, le style académique se réduisait à des évocations nostalgiques.

Les arts décoratifs, de leur côté, bénéficiaient du cosmopolitisme de la conquête mongole : les diverses traditions régionales se mêlaient aux styles neufs venus des régions frontières, véhiculés par le négoce, les migrations de populations, la religion. Protecteurs du lamaïsme tantrique, les Mongols furent responsables d'un fort apport stylistique et iconographique du Tibet et du Népal. Des influences de l'Islam s'exercèrent grâce à l'installation de communautés de marchands venus du Moyen Orient le long des routes commerciales d'Asie centrale et dans les ports chinois ; une immigration massive de musulmans eut lieu dans le Yunnan, une région limitrophe du Sud-Ouest.

L'innovation la plus spectaculaire dans le domaine de la porcelaine fut le décor au cobalt sous couverte : ainsi débute l'évolution des "bleus-et-blancs", qui n'aurait peut-être jamais connu son immense développement sans les Mongols. Sous la supervision de Mongols et de céramistes musulmans, les fours de Chingtechen, dans la province centrale du Kiangsi, se mirent à faire des expériences avec du cobalt importé et à exporter en retour des céramiques blanches décorées de motifs bleus. Un style totalement nouveau était né : des plats et des coupes de grandes dimensions étaient ornés d'un réseau serré de motifs inspirés de l'orfèvrerie et de la faïence islamiques. Le décor des surfaces qui, sous les Song, était toujours resté très réduit, devenait désormais de première importance dans tous les arts décoratifs.

Kubilay Khan, premier empereur de la dynastie Yüan. Anonyme du XIIIe siècle. Feuillet d'album, encre et couleurs sur soie, 59,4 × 47 cm. Dynastie Yüan.

Succombant à l'invasion des hordes mongoles et de leurs alliés chinois, la dynastie des Song du Sud s'éteignit en 1279, et l'ensemble du territoire chinois, pour la première fois de son histoire, fut occupé par un peuple étranger. Kubilay devenait l'empereur de l'empire le plus vaste que le monde ait jamais connu. Il choisit Tatu (Pékin) comme capitale et il utilisa avec efficacité l'administration chinoise pour gérer son immense domaine. Mais il était loin de gouverner à la manière chinoise : au lieu d'appuyer son pouvoir sur une forte bureaucratie centralisée, Kubilay préféra laisser l'autorité, selon le système nomade, à des seigneurs guerriers, à la tête d'unités administratives relativement autonomes et liés à lui par une indéfectible loyauté féodale.

A gauche, le portrait officiel, peut-être exécuté d'après le peintre népalais An-ni-ko (1245-1306), présente l'empereur en khan mongol, coiffé du bonnet traditionnel.

A droite, cette scène plus libre, peinte par le peintre de Cour Liu Kuan-tao, montre aussi la fidélité de Kubilay aux coutumes mongoles. On l'y voit, âgé, dans les solitudes venteuses de la steppe, chassant à la tête de ses fidèles – passe-temps que ses sujets chinois considéraient comme barbare. Il est possible que cette peinture ait eu pour but de persuader les Mongols traditionalistes que leur chef n'avait pas rompu avec son héritage nomade.

Kubilay Khan à la chasse, daté de 1280, par Liu Kuan-tao (actif
entre 1275 et 1300). Détail d'un rouleau vertical, encre et
couleurs sur soie, 182,9 × 104 cm. Dynastie Yüan.

Couleurs d'automne dans les monts Ch'iao et Hua,
daté de 1296, par Chao Meng-fu (1254-
1322). Détail d'un rouleau horizontal, encre
et couleurs sur papier, 28,6 × 93,3 cm.
Dynastie Yüan. Voir détail p. 62.

En réaction contre le réalisme trop sophistiqué pratiqué à la cour décadente des Song, Chao Meng-fu fut à la tête d'un mouvement révolutionnaire dont le but était d'éloigner l'art de ses préoccupations naturalistes en lui donnant un nouveau langage pictural : une peinture faite à partir des mêmes traits de pinceau utilisés traditionnellement dans la calligraphie. *Couleurs d'automne dans les monts Ch'iao et Hua* est une scène idyllique où s'activent fermiers et pêcheurs. Elle est exécutée avec un répertoire simple de traits, rappelant les fibres d'une corde, et de points qui suggèrent le feuillage ; il en résulte une œuvre riche à la texture sensuelle et une composition abstraitement rythmée en dehors de toute fonction figurative. Les images de l'utopie avaient souvent pour cadre l'Antiquité, et tout ce qui était ancien était ressenti comme synonyme de perfection. C'est pourquoi Chao peint son âge d'or dans un style archaïque : sauts illogiques d'une échelle à l'autre, végétation stylisée, maisons maladroites, personnages sans épaisseur, montagnes schématiques dont les formes rudimentaires rappellent des signes pictographiques.

Chaumière dans les monts Fu-ch'un, daté de 1350, par Huang Kung-wang (1269-1354). Détail d'un rouleau horizontal, encre sur papier, 32,7 × 637,5 cm. Dynastie Yüan.

Chaumière dans les monts Fu-Ch'un, par Huang Kung-wang, est le plus ambitieux rouleau horizontal qui subsiste de l'époque Yüan et l'un des plus grandioses panoramas de toute la peinture chinoise. Au cœur du paysage est niché un modeste pavillon couvert de chaume ; l'homme qui l'occupe se penche pour regarder nager des oiseaux. L'importance de ce pavillon et, à proximité, la présence de deux pêcheurs dans leurs barques, font penser au site le plus célèbre des monts Fu-ch'un : la "Terrasse penchée" de Yen Tzu-ling, un ermite

du Ier siècle. Yen avait beau être un ami proche de l'empereur Han, il choisit de vivre dans l'obscurité plutôt que d'entrer au gouvernement, illustrant ainsi l'idéal taoïste de vie recluse que Huang célèbre dans ce rouleau. Situé au centre de la composition, le pavillon est le symbole de cet idéal. Il occupe l'endroit précis où, d'après les principes de la géomancie, l'énergie vitale (ch'i) de la montagne est concentrée : elle est personnifiée par les quatre pins-dragons qui surgissent à son pied.

Bambou, daté de 1350, par Wu Chen
(1280-1354). Feuillet 21 d'un album de 20
peintures et de 2 calligraphies,
Manuel de la peinture de bambous. Encre sur papier,
42,9 × 52 cm. Dynastie Yüan.

Brûle-parfums. Porcelaine
craquelée *ko*, 6,7 cm de hauteur.
Dynastie Song du Sud ou Yüan.

Le bambou peint à l'encre noire était un sujet favori des lettrés
Yüan, à cause de ses rapports intimes avec la calligraphie. Wu
Chen s'est inspiré de Wen T'ung, le maître des Song du Nord
(p. 34), lorsqu'il a imaginé le plant de bambou tout entier
avant d'appliquer son pinceau sur le papier, mais en fin de
compte, il fut plus intéressé par le traitement abstrait et la
composition arbitraire du motif sinueux que par sa
représentation naturaliste.
On retrouve le même souci dans cette porcelaine *ko* issue de
fours du Chekiang : le potier insiste volontairement sur le
réseau de craquelures qui met en valeur le jeu du motif
abstrait sur le fond clair.

Portrait de Ni Tsan, vers 1340. Anonyme.
Détail d'un rouleau horizontal, encre et
couleurs sur papier, 28,3 × 61 cm.
Dynastie Yüan.

Dans sa vie comme dans son art, le peintre Ni Tsan fut le
modèle idéal du lettré-artiste. Ce portrait anonyme, réalisé vers
1340, le montre en riche et jeune dilettante vêtu d'une robe
blanche, assis sur une estrade. Les objets d'art anciens qui
l'entourent révèlent son intérêt pour le passé : le pinceau et le
rouleau de papier indiquent son goût pour la poésie et la
peinture : le paysage monochrome, assez austère, situé derrière
lui – qui ressemble d'ailleurs à ses propres peintures – exprime
bien le noble détachement intérieur.

Dans *L'atelier Jung-hsi*, Ni Tsan parvient à un degré étonnant de
légèreté, de transparence et de luminosité, sans pourtant
sacrifier l'illusion de la substance et de l'espace en trois
dimensions : de bas en haut, le paysage progresse en plans de
plus en plus éloignés, les rares éléments étant répartis sur le
papier dans un parfait équilibre entre le vide et la complexité.
La structure de la composition est fondée sur une répétition
rythmée des diagonales : les lignes pentues du toit du pavillon
trouvent leur écho dans le déploiement des frondaisons et dans
les contours lointains du rivage. C'est précisément ce jeu des
motifs dans la composition et son équilibre dynamique qui
font de cette peinture un chef-d'œuvre.

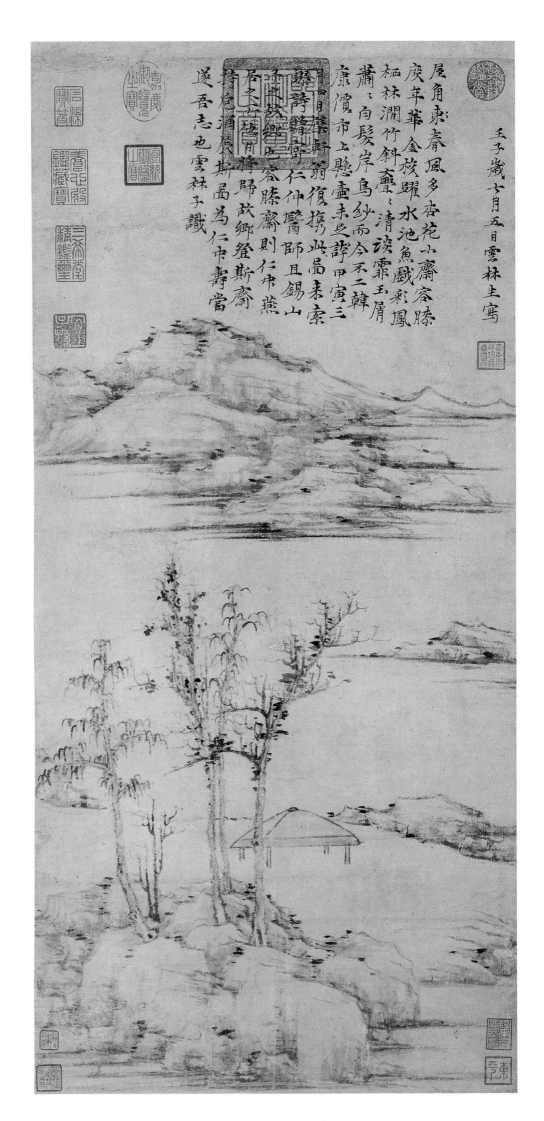

L'atelier Jung-hsi, daté de 1372, par Ni Tsan (1306-1374). Rouleau vertical, encre sur papier, 74,6 × 35,6 cm. Dynastie Ming.

Les motifs *guri* qui ornent
cette boîte de laque imitent
ceux d'un pommeau d'épée.
Cette surface est constituée
d'une superposition
minutieuse de plusieurs
couches de laque
alternativement noire et
rouge. L'artisan y a ensuite
creusé le décor en un
profond relief qui rappelle les
formes érodées des rochers le
long des rivages du lac T'ai,
au Kiangsu.
La peinture de Wang Meng à
droite évoque aussi ces
rochers extraordinaires –
notamment de la fameuse
grotte à Chü-ch'ü. Le paysage
tout entier ressemble à un
fantastique jardin de rocailles.
Le peintre ne cherche pas à
créer l'illusion de la
profondeur ; au contraire, il
dresse devant les yeux du
spectateur un mur à la texture
très dense fait de pierre et
d'eau. Ermites et pavillons
sont isolés dans des espaces
creusés dans le roc. Wang
Meng crée ainsi la vision
d'un monde clos, retranché
du monde réel. Il fait revivre
ici les structures spatiales
archaïques des peintures du
Xᵉ siècle et, en organisant sa
composition par la
juxtaposition de cellules
individuelles, il réussit
d'autant mieux à évoquer la
simplicité idyllique de la
haute Antiquité.

Boîte ronde, laquée noir et rouge.
8,9 cm de diamètre,
4,4 cm de hauteur. Dynastie Yüan.

*Résidences rupestres dans la forêt de Chü-
ch'ü*, après 1368, par Wang Meng
(1308-1385). Détail d'un
rouleau vertical, encre et couleurs
sur papier, 68,9 × 42,5 cm.
Dynastie Ming.

La dynastie Ming :
la restauration chinoise

Chu Yüan-chang (1328-1398), le fondateur chinois de la dynastie Ming, après avoir chassé les Mongols, rétablit les institutions impériales et l'administration centralisée. Sous le nom de Hung-wu, il régna à Nankin de 1368 à 1398 ; ainsi débuta une dynastie qui resta au pouvoir pendant près de trois siècles. Au début, la Chine connut une période dynamique d'expansion politique et de progrès culturel : les empereurs participaient aux campagnes de conquête, proclamaient de nouvelles lois et s'occupaient activement des affaires de l'Empire. Après la mort de Hsüan-te, qui régna de 1426 à 1435, les capricieux jeunes empereurs qui lui succédèrent restèrent de plus en plus passifs et inactifs. Alors commença une période d'échecs militaires, de déclin politique et de corruption.

Cependant, malgré ces désillusions, le XVIe siècle et le début du XVIIe connurent une vie urbaine d'une grande richesse, et la culture mandarinale, qui s'était répandue, devint un puissant facteur d'innovation et de progrès.

Économiquement, la Chine du XVIe siècle subit une transformation radicale à la suite du développement d'entreprises proto-industrielles telles que les manufactures de textiles (soie et coton) et de céramiques. L'enrichissement de la population urbaine conduisait à une plus grande consommation d'œuvres d'art et de livres illustrés d'estampes en couleur. Fonctionnaires et négociants ayant fait fortune décuplaient le mécénat privé. Ainsi se développèrent de nouveaux centres régionaux propices aux activités culturelles. Mais l'empereur Wan-li, qui régna de 1573 à 1620, négligeait les affaires d'État, allant même, dans ses vingt-cinq dernières années, jusqu'à refuser d'apparaître aux audiences impériales et de répondre aux communications officielles. Après sa mort, des soulèvements paysans enflammèrent la Chine du Nord ; une armée rebelle saccagea Pékin en 1644, et le dernier empereur Ming se suicida.

Concernant les arts, il y eut au début de la dynastie Ming une véritable renaissance fondée sur un retour aux sources. Avec la défaite sur les Mongols et le rétablissement d'un souverain chinois, le pouvoir impérial fut réaffirmé et les arts durent à nouveau obéir aux styles dictés par la Cour. Ainsi, les peintres recrutés par les empereurs furent-ils obligés de revenir aux représentations réalistes et didactiques qu'affectionnait l'Académie impériale sous les Song : paysages de grand format, compositions de fleurs et d'oiseaux et suites narratives furent particulièrement prisés quand ils glorifiaient la nouvelle dynastie et louaient sa bienveillance, sa vertu et sa grandeur.

Détail de *Retour tardif d'une promenade printanière*, par Tai Chin. Voir p. 95.

79

Vers 1450, la mode des paysages monumentaux fut supplantée par celle des lavis au vocabulaire pictural restreint, dérivée des maîtres des Song du Sud, Ma Yüan et Hsia Kuei. Ce style appelé "Ma-Hsia" avait survécu durant la dynastie Yüan comme une tradition locale dans la région de Hangchow, la vieille capitale des Song du Sud. Au XVe siècle, ce style régional, que l'on désignera plus tard sous le nom d'école du "Che" (abréviation de Chekiang, nom de la province), connut un important regain de faveur parmi les peintres de la cour des Ming et fut adopté par les professionnels.

Les peintres spécialisés dans le genre "fleurs et oiseaux" travaillaient soit dans la tradition des Song du Nord – contours finement dessinés à l'encre et coloriage aux brillants pigments minéraux – soit dans celle que les moines-artistes bouddhistes de la secte Ch'an (Zen) avaient inaugurée sous les Song du Sud : lavis dégradés d'encre monochrome traités à coups de pinceau rapides. Étant donné l'attachement de la Cour aux fonctions symboliques et décoratives de l'art, ce fut bientôt moins la volonté de représenter exactement la nature qui anima les peintres que la recherche de motifs décoratifs et symboliques : un répertoire d'images emblématiques aux significations codées fut élaboré, dans lequel certains objets ou certains animaux étaient liés à certaines plantes (comme les "Quatre saisons de la vie", les "Trois amis de l'hiver"...).

Les arts décoratifs du début des Ming avaient abondamment hérité des traditions chinoises régionales et des influences étrangères. Les différents styles de sculptures de jade, par exemple, datant des époques Yüan et Ming, montrent des techniques empruntées aux dynasties du Nord de la Chine, les Liao et les Chin, ainsi qu'aux Song du Sud. En ce qui concerne la porcelaine au décor bleu sous couverte et les émaux cloisonnés sur métal, ils se développèrent également, au XIVe siècle, dans le cadre des échanges commerciaux avec le monde islamique. C'est pourquoi beaucoup des "bleus-et-blancs" des premiers règnes Ming trahissent une forte influence du Moyen-Orient. Mais on discerne aussi des apports iconographiques népalais et tibétains, dus à l'adoption par les empereurs mongols du lamaïsme, lequel sera perpétué sous les Ming. L'empereur Yung-le, qui régna de 1403 à 1424, se distingua par les encouragements qu'il apporta aux échanges avec les contrées étrangères : c'est lui, par exemple, qui initia en 1404 le premier de sept voyages destinés à réclamer tribut auprès des royaumes d'Asie du Sud-Est. Ces expéditions portèrent les flottes chinoises en Inde et jusqu'en Afrique de l'Est.

Bien que l'art au début des Ming fût fortement influencé par divers courants, un Bureau spécial fut créé, chargé d'imposer des modèles standard pour les productions impériales en matière de céramique, textiles, orfèvrerie et laque. La nouvelle importance de l'imagerie symbolique dans ce répertoire de motifs – fleurs et oiseaux, paysages, architectures, et bien sûr l'omniprésent dragon impérial – reflète l'influence directe de l'Académie impériale de peinture sur tous les arts. Le clivage, né au XIe siècle, entre d'un côté les peintres de Cour et les professionnels, et de l'autre les peintres-lettrés amateurs, ne disparut pas à l'avènement des Ming. Les premiers adoptaient le vocabulaire figuratif des Song et produisaient de préférence des images naturalistes techniquement parfaites qui mettaient en valeur la vivacité des couleurs, la virtuosité du pinceau, la complexité savante de la composition. En revanche, les seconds réalisaient plutôt une peinture calligraphique à la manière des Yüan, plus intime et plus expressive. Le foyer intellectuel le plus brillant était concentré dans la région de Wu, autour de Soochow, et qui, à la fin du XVe siècle, devint le centre culturel et commercial de tout l'Empire.

Au début du XVIe siècle, on assista à l'inversion progressive de la distinction traditionnelle entre artistes professionnels et amateurs-lettrés. Le système d'enseignement produisant beaucoup plus d'intellectuels que la bureaucratie ne pouvait en employer, les clercs qui n'étaient pas fonctionnaires devenaient, de plus en plus, des artistes professionnels. Si les peintres amateurs cherchaient leur inspiration parmi les maîtres des Yüan, les professionnels répondaient à la demande de la nouvelle classe moyenne urbaine en créant une nouveau type de peinture, inspiré des représentations lyriques de l'Académie des Song du Sud. Contrairement aux œuvres monumentales des professionnels de l'école du Che, où dominaient une iconographie conventionnelle et un travail spectaculaire des touches de pinceau, les œuvres des maîtres professionnels de Soochow se distinguent par leur palette subtile, leur dessin sensible, leur éloquence lyrique et leur profondeur émotionnelle.

Le commerce privé grandissant, et les techniques industrielles de production se multipliant, les arts décoratifs se transformèrent. L'Empereur diminuait son action de mécénat et des artisans, embauchés, remplaçaient les serfs dans les manufactures. La Cour dut bientôt rivaliser avec les entreprises commerciales pour la production de biens et de services. Styles décoratifs et iconographie étaient de plus en plus influencés par les goûts populaires. C'est ainsi qu'à la place des couleurs raffinées prisées dans les premiers temps de la dynastie, on se mit partout à utiliser des couleurs fortes et voyantes, dans le décor des porcelaines mais aussi des laques, des estampes ou des textiles.

Dans le monde artistique de la fin des Ming, si profondément influencé par le négoce, un groupe de gentilshommes lettrés du Sung-chiang (près de Shanghaï) entama un programme de réforme ; son chef de file était Tung Ch'i-ch'ang (1555-1636), le plus grand paysagiste et le meilleur théoricien d'art de son temps. En réaction contre ce qui formait à ses yeux les tendances décadentes et perverses de la peinture de paysage, et fidèle à la vocation traditionnelle des fonctionnaires cultivés, Tung cherchait dans une relecture du passé les sources de la création. Quoique fondant son esthétique sur l'étude des maîtres anciens, il voulait surtout restaurer leur simplicité et leur vitalité ; il conseillait d'établir avec les antiques modèles une correspondance spirituelle, plutôt que de les imiter servilement. Pour lui, l'expression personnelle n'était pas le but le plus important. Traitant la peinture comme une calligraphie, il alternait dans ses paysages les motifs positifs et négatifs, obtenant des effets dynamiques révolutionnaires qui, paradoxalement, deviendront plus tard la base du style orthodoxe, sous la dynastie Ch'ing.

En 1368, la fragmentation de l'Empire mongol en factions rivales donna l'occasion à Chu Yüan-chang de chasser les Mongols. Sous le nom de règne Hong-wu, il fonda la dynastie Ming, prit Nankin pour capitale et entreprit de "re-siniser" l'Empire. Pendant les trente ans de son règne, il rétablit les institutions impériales et réinstalla l'administration centralisée. Après sa mort, son quatrième fils, Yung-le (à gauche), usurpa le trône qu'occupait son neveu Chien-wen ; il allait régner de 1403 à 1424. Il quitta Nankin en 1409 pour retourner dans l'ancienne capitale des Yüan, Pékin, où il fit construire les premières salles d'un vaste palais impérial entouré de murailles – connu aujourd'hui sous le nom de "Cité interdite". Ce portrait officiel décrit l'apparence physique de Yung-le avec exactitude, en le dotant de toute la majesté intimidante requise dans ce genre de portrait.

On remarquera, par exemple, la ressemblance étonnante entre la barbe et la moustache de l'Empereur avec celles du dragon peint sur le flanc de ce vase bleu-et-blanc fabriqué sous son règne (à droite) : le dragon est en effet l'un des symboles chinois les plus anciens et l'emblème héraldique du pouvoir impérial. Sous les Ming, ce motif devint omniprésent dans tous les arts destinés à la Cour.

Vase à décor de dragons et de fleurs. Porcelaine bleu-et-blanc sous couverte, 35,9 cm de diamètre, 42,9 cm de hauteur. Dynastie Ming, règne Yung-le (1403-1424).

Portrait de l'empereur Yung-le. Anonyme du XVe siècle. Rouleau vertical, encre et couleurs sur soie, 220 × 149,9 cm. Dynastie Ming.

Gourde plate à décor de musiciens dans un paysage.
Porcelaine bleu-et-blanc sous couverte,
12 cm de largeur à la base, 29,8 cm de hauteur.
Dynastie Ming, règne Yung-le (1403-1424).

En matière de céramique, l'une des plus grandes innovations du XIVᵉ siècle fut le décor "bleu-et-blanc" à l'oxyde de cobalt, peint sous couverte avant la cuisson. Sous la dynastie Yüan des Mongols, le négoce devint particulièrement actif entre la Chine, l'Asie centrale et le Moyen Orient : il est possible que ce type de porcelaine ait été créé pour répondre aux demandes des marchés étrangers.

La gourde plate (à gauche) provient d'un prototype islamique ; les personnages qui forment le décor sont des musiciens d'Asie centrale.

A droite, la cruche a la forme d'un bonnet de lama tibétain et porte une inscription tibétaine : introduit en Chine sous les Mongols, le bouddhisme lamaïque restait très influent sous les Ming. L'empereur Yung-le décida d'étendre la puissance chinoise en Asie du Sud-Est et y envoya des expéditions maritimes pour exiger le paiement de tributs. Préfigurant d'une vingtaine d'années les grandes découvertes européennes, chacune des sept expéditions chinoises dans l'Océan indien était constituée de 300 navires et de 30 000 marins. Elles allèrent jusqu'en Inde et en Afrique de l'Est, mais furent brutalement interrompues à la mort de Yung-le en 1424 ; elles conduisirent néanmoins à la diffusion de la porcelaine Ming à travers toute l'Asie du Sud-Est et au-delà.

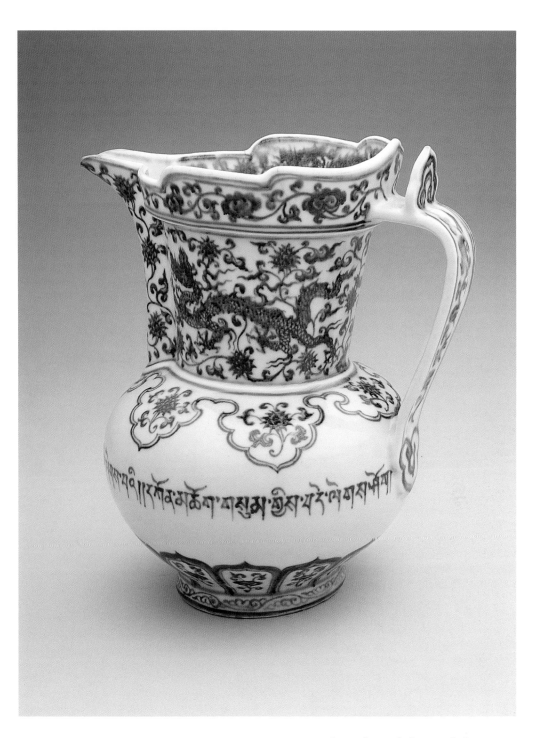

Cruche en forme de bonnet de lama, avec inscriptions en tibétain. Porcelaine bleu-et-blanc sous couverte, 15,9 cm de diamètre, 22,2 cm de hauteur. Dynastie Ming, marque du règne Hsüan-te (1426-1435).

Vase de laque rouge, avec décor de pivoines.
10,2 cm de diamètre, 16,5 cm de hauteur.
Début dynastie Ming, marque du règne
Yung-le (1403-1424).

Tasse. Néphrite, 7,3 cm de diamètre.
Dynastie Yüan ou
début de la dynastie Ming.

Le mécénat impérial des Song du Sud avait favorisé le travail
de la laque et du jade qui, à nouveau au début des Ming,
connut un grand épanouissement grâce à la volonté de la Cour
de faire revivre les arts chinois anciens. Le sceau du règne
Yung-le est incisé sur ce vase de laque rouge (à gauche), mais le
style de son décor floral dense, gravé en profond relief, est
celui des Yüan. Par conséquent, il daterait plutôt du XIVe siècle
que du début du XVe, c'est-à-dire de la période Yüan – et
l'empereur Ming l'aurait adopté pour son propre usage.
Ci-dessus, cette tasse sculptée dans la néphrite – une qualité de
jade importée de Khotan (en Asie centrale) – évoque le motif
du dragon sinueux, dont le corps arqué forme l'anse, emprunté
à l'iconographie de la dynastie Han.

Support en forme de bélier
chevauché d'un berger. Néphrite,
11,7 cm de hauteur.
Dynastie Yüan ou plus tard.

*Quatre Immortels honorant le dieu de
Longévité*, vers 1430, par Shang Hsi
(actif vers 1425-1450).
Détail d'un rouleau vertical,
encre et couleurs sur soie,
98,4 × 143,8 cm. Dynastie Ming,
règne Hsüan-te (1426-1436).

L'un des grands héritages de la Cour mongole à la dynastie Ming fut
son large soutien à la religion d'État, le Taoïsme, qui donna
naissance à diverses sectes. Parmi les saints taoïstes, les plus
populaires étaient les Huit Immortels. Le détail de *Quatre immortels
honorant le dieu de Longévité* montre l'épisode de leur traversée
miraculeuse de la mer : Li T'ieh-kuai se tient debout sur sa béquille
de fer – après la crémation accidentelle de son corps, son âme avait
été forcée d'occuper le corps d'un mendiant boiteux – tandis que
son compagnon, Liu Hai, chevauche un crapeau à trois pattes.
Dans le ciel, une grue transporte le dieu de Longévité, Shou-lao.
Le support de jade noire (ci-dessus) témoigne de l'une des
constantes des arts chinois : les formes contemporaines sont
inspirées de modèles anciens. On reconnaît ici un bélier inspiré
d'une lampe de la dynastie Han et, sur son dos, un personnage qui
rappelle les thèmes taoïstes de l'Immortel chevauchant une monture
fantastique. Ici, le berger porte un chapeau semblable à celui des
Mongols, ce qui pourrait dater l'objet de l'époque Yüan.

Au XVᵉ siècle, le mécénat de la cour des Ming provoqua une véritable renaissance des sujets et des styles picturaux développés par l'Académie impériale de peinture sous les Song. Les œuvres du genre "fleurs et oiseaux", par le grand maître Ming Pien Wen-chin (à gauche), sont admirablement exécutées : la touche précise et les couleurs délicates rappellent la tradition naturaliste et descriptive des Song. Seul le traitement calligraphique des contours – particulièrement notable dans les feuilles – trahit une date plus tardive. Les images de fleurs et d'oiseaux ne sont jamais seulement décoratives ; elles ont toujours une signification morale ou didactique. Ce jardin de Pien, par exemple, avec le pin, le bambou et le prunier – symboles de l'amitié, de l'honnêteté et de la loyauté – où s'ébattent divers oiseaux, peut être interprété comme une évocation de l'empire Ming, paisible et bien gouverné.

Faisan dans la neige, à droite, peint par Lü Chi une cinquantaine d'années plus tard, montre un faisan solitaire, symbole de courtoiserie et d'élégance : il suggère le fonctionnaire, fier, qui reste intègre lorsqu'il se tient à l'écart de la société.

Les trois amis de l'hiver et trois cents oiseaux, daté de 1413, par Pien Wen-chin (vers 1356-1428). Détail d'un rouleau vertical, encre et couleurs sur soie, 151,5 × 78 cm. Dynastie Ming, règne Yung-le (1403-1425).

Faisan dans la neige, par Lü Chi (actif entre 1475 et 1503). Rouleau vertical, encre sur papier, 135,2 × 47,3 cm. Dynastie Ming.

Grenade éclatée, par Sun Lung
(vers 1400-1450).
L'un des 12 feuillets de l'album
Croquis sur le vif. Encre et couleurs
sur soie, 23,5 × 21,9 cm.
Début de la dynastie Ming.

Le peintre de Cour Sun Lung s'est illustré dans le style "sans os", c'est-à-dire sans contours ; en travaillant rapidement l'encre et les lavis colorés de façon à ce qu'ils se mélangent, le peintre crée une image vibrante et spontanée. Le même effet est obtenu sur l'élégante petite coupe (à droite) qui a la forme et le décor d'une grenade. Celle-ci est un symbole d'abondance et de fécondité – un porte-bonheur tout indiqué pour décorer un objet destiné à offrir des vœux de longue vie et de progéniture nombreuse. Le rouge du décor sous couverte est obtenu par la cuisson de l'oxyde de cuivre, technique dont les effets ne sont pas entièrement prévisibles et qui révèle un goût pour la manipulation d'effets accidentels semblables à ceux que Sun Lung exploite dans sa peinture.

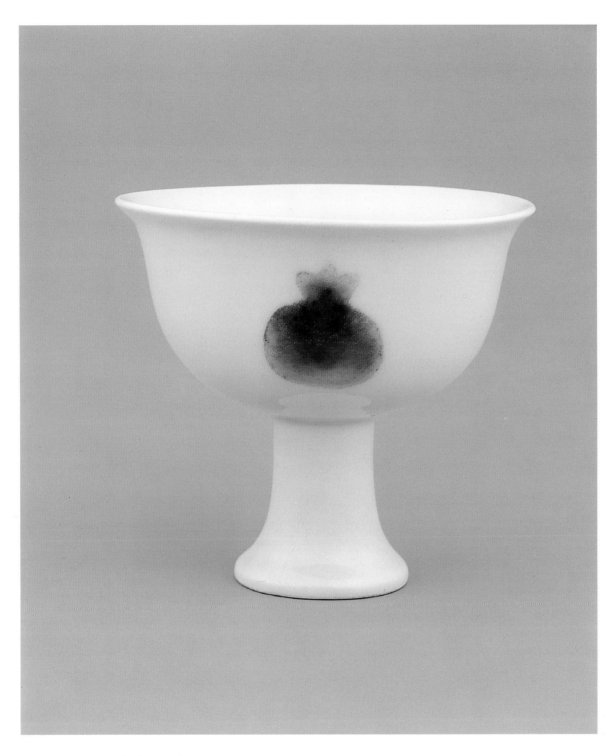

Coupe à pied décorée de trois fruits.
Porcelaine blanche et rouge de cuivre
sous couverte, 11,4 cm de diamètre
du col, 10,2 cm de hauteur.
Dynastie Ming, marque du règne
Hsüan-te (1426-1435).

Coupe à pied octogonale. Porcelaine
craquelée imitant les *ko*, 8,3 cm de diamètre
du col, 9,2 cm de hauteur. Dynastie Ming,
marque du règne Ch'eng-hua (1465-1487).

Retour tardif d'une promenade printanière,
par Tai Chin (1388-1462). Rouleau vertical,
encre et couleurs sur soie, 168 × 83,2 cm.
Début de la dynastie Ming. Voir détail p. 78.

Le style académique des
Song du Sud qu'avaient
incarné Ma Yüan et Hsia
Kuei (pp. 50 et 52) fut
interdit par l'empereur
Yung-le (qui régna de 1403
à 1424) sous prétexte
qu'il n'était que « restes
de montagnes et d'eaux
stagnantes » de la dynastie
qui avait livré la Chine aux
Mongols. Cependant, dans
les années 1440, le style
"Ma-Hsia" était devenu si
populaire qu'il était devenu
synonyme de l'art de Cour !
*Retour tardif d'une promenade
printanière*, par Tai Chin, est un
exemple de l'interprétation,
à l'époque Ming, du style
académique des Song
du Sud : dessin nerveux et
sûr, lavis d'encre bien
contrôlés, coloration subtile
qui recrée l'atmosphère
évanescente de Ma Yüan et
Hsia Kuei. Mais tandis que
les maîtres Song s'attachaient
à distribuer les éléments du
paysage dans un espace à
trois dimensions qui fût
crédible, Tai Chin les traite
plutôt en motifs décoratifs
disposés à plat.
Le goût des Ming pour les
styles artistiques des Song
s'étendit à la céramique.
Cette coupe octogonale est
un produit de la manufacture
de Chingtechen, dans le
Kiangsi. Elle date de la fin du
XVe siècle, mais elle est
décorée des craquelures
noires sur fond céladon qui
caractérisaient la célèbre
céramique *Ko* produite
au XIIIe siècle, sous les Song,
dans la province du
Chekiang (voir p. 73).

Brûle-parfums. Bronze décoré
d'émaux cloisonnés,
11 cm de diamètre du col,
12 cm de hauteur.
Dynastie Ming, marque du règne
Hsüan-te (1426-1435).

Procession impériale aux tombeaux des
Ming, vers 1550. Peintre anonyme.
Détail d'un rouleau horizontal,
encre et couleurs sur soie,
92 × 2601,3 cm. Dynastie Ming.

Les rites constituaient une part fort importante de la vie d'un empereur, car ils étaient un élément essentiel de légitimation de la dynastie. Lorsque l'empereur quittait son palais, il voyageait toujours accompagné d'une immense caravane de fonctionnaires civils, de militaires et de centaines de valets transportant les objets de cérémonie qui incarnaient son statut et son pouvoir. En fait, la plupart des œuvres d'art produites à la Cour étaient destinées à rehausser l'image de l'empereur. *Procession impériale aux tombeaux des Ming*, rouleau monumental de 26 m de longueur, décrit le voyage de l'empereur Chia-ching (qui régna de 1522 à 1566) vers les tombeaux de ses ancêtres, creusés au pied des montagnes à 50 km au nord de Pékin. C'est l'un des premiers exemples de peinture exécutée dans un but de commémoration d'un événement impérial précis. Un autre domaine artistique lié aux cérémonies concernait les vases de bronze, dont la fabrication se perpétuait de règne en règne. Sous les Ming, ils furent fréquemment décorés d'émaux cloisonnés, comme ce brûle-parfums, aux couleurs brillantes, selon un procédé importé d'Occident par les Mongols.

Un lettré se livrant à l'un de ses loisirs savants dans son jardin : c'est l'un des sujets les plus répandus dans la peinture de la dynastie Ming. Sur le couvercle de cette boîte de laque est gravée une scène où deux Immortels jouent aux échecs chinois sur une terrasse entourée de rocaille. Le peintre Tu Chin décrit un environnement similaire : dans un élégant jardin, deux lettrés examinent des vieux bronzes et des céramiques posés devant eux. Tu Chin devint peintre professionnel après avoir échoué à l'un des examens du mandarinat. Comme les postes de fonctionnaires étaient moins nombreux que les candidats, beaucoup de lettrés se mirent à leur compte et recherchèrent le soutien de marchands prospères qui vivaient dans les cités florissantes. Pour ces intellectuels sans emploi officiel, le jardin était l'image même d'un mode de vie idéal, loin du tumulte des affaires.

Boîte ronde de laque rouge, décorée d'une scène de jardin et des fleurs des quatre saisons. 13,6 cm de diamètre, 5 cm de hauteur. Dynastie Ming, marque du règne Yung-le (1403-1424), mais peut-être antérieur.

Étude des antiquités, par Tu Chin (actif entre 1465 et 1509). Détail d'un rouleau vertical, encre et couleurs sur soie, 126 × 187 cm. Dynastie Ming.

Un chat, et page ci-contre, en haut, *Une poule*, 1494, par Shen Chou (1427-1509). Détails de 2 des 16 feuillets de l'album *Dessins d'après nature*. Encre sur papier, 34,9 × 58 cm. Dynastie Ming, règne Hung-chih (1488-1506).

Page ci-contre en bas, paire de coupelles décorées d'un motif de basse-cour Porcelaine *tou-ts'ai*, 8,2 cm de diamètre du col, 3,8 cm de hauteur. Dynastie Ming, marque du règne Ch'eng-hua (1465-1487).

L'artiste-lettré Shen Chou est le patriarche de l'école de "Wu", autrement dit de Soochow. Il peignit ces images à 67 ans, avouant dans son inscription qu'il voulait « voler les secrets de la création ». Dans ces croquis d'après nature, Shen Shou est fidèle à la tradition des peintres et calligraphes amateurs. Son but n'est pas tant d'atteindre à un réalisme superficiel que de créer une interprétation personnelle du sujet grâce à l'emploi répété de lignes, de cercles et de pointillés. Finalement, l'œuvre nous en dit autant sur la personnalité de l'auteur et son état d'esprit que sur ceux des créatures qu'il évoque.

A la même époque, ces petites coupelles, décorées de dessins bleus sous couverte et d'une deuxième couche d'émaux polychromes sur couverte représentant des volailles, témoignent d'une parfaite maîtrise technique. Réalisés dans l'une des manufactures impériales, ces bols d'une finesse remarquable et très délicatement peints – les motifs étaient fournis par des artistes de la Cour – représentent l'apogée de la porcelaine Ming. Fort prisée des collectionneurs à venir, elle valait, dit-on, son poids d'or.

為我三彈
納珠占瑞
一休徵立
閒閤當念
忠原自好
小庭士雅
安東三雀
陶畫裏冰

Ces deux peintures sont des images idéales des modes de vie rêvés par les membres de l'élite sous les Ming. Shen Chou, qui vécut toujours au même endroit et ne poursuivit aucune carrière publique, peignait avec la même touche sèche et fine des compositions délicates de Ni Tsan (p. 75) – ce peintre-ermite du XIVe siècle. Shen évoque dans sa peinture les plaisirs de la solitude, d'une vie entière dédiée à l'introspection tandis que son contemporain, Tang Yin, plus jeune que lui, célèbre les joies d'un mandarin engagé dans la vie publique. A la suite d'un scandale lors des examens mandarinaux, Tang se mit à écrire et à peindre pour gagner sa vie. Il se fit une réputation de personnage romantique menant une vie débridée. Il décrit ici une rencontre amoureuse entre T'ao Ku, mandarin du Xe siècle, et la célèbre courtisane Ch'in Lo-lan. Dans un coin retiré d'un élégant jardin, T'ao fixe du regard Ch'in alors qu'elle joue du luth (p'i p'a) – instrument qui évoque l'amour. Un cierge rouge, placé au centre, se consume ; la flamme orientée vers la courtisane est un symbole évident d'amour et d'érotisme.

Promenade un bâton à la main, vers 1485, par Shen Chou (1427-1509). Rouleau vertical, encre sur papier, 159 × 72 cm. Dynastie Ming, règne Ch'eng-hua (1465-1487).

T'ao Ku compose un poème lyrique, vers 1515, par Tang Yin (1470-1524). Détail d'un rouleau vertical, encre et couleurs sur soie, 168,9 × 102,2 cm. Dynastie Ming, règne Cheng-te (1506-1522).

La corruption s'agravant tout au long du XVIᵉ siècle, les troubles sociaux et économiques se multiplièrent et conduisirent à une vogue de l'évasion et d'une iconographie fantastique. Les riches négociants du temps prisaient beaucoup, par exemple, les images de paradis taoïstes. Dans *Palais dans la montagne des Immortels*, Ch'iu Ying présente un vaste ensemble de pavillons magnifiques nichés dans le creux d'une vallée. Chatoyant dans une clarté magique, cette peinture est un tour de force de précision et de minutie, chaque détail étant d'un extrême réalisme pour que l'ensemble évoque la perfection divine.

A droite, Wen Po-jen représente l'île légendaire de Fang-hu, que l'on disait située dans la Mer orientale. Cette vision utopique d'un monde clos, lointain et inaccessible, est tenue à distance du spectateur par de vastes étendues aquatiques et par une multitude de montagnes archaïques qui encerclent un palais composé de plusieurs pavillons. Les nuages stylisés entourent les pics magiques, s'élevant dans une vapeur orange, illuminés par un brillant soleil de cinabre.

Palais dans la montagne des Immortels, daté de 1550, par Ch'iu Ying (vers 1495-1552). Détail d'un rouleau vertical, encre et couleurs sur papier, 110,5 × 42,2 cm. Dynastie Ming.

Fang-hu, l'île des Immortels, daté de 1563, par Wen Po-jen (1502-1575). Rouleau vertical, encre et couleurs sur papier, 120,6 × 31,7 cm. Dynastie Ming, règne Chia-ching (1522-1567).

Assiette creuse décorée du motif des trois divinités taoïstes. Porcelaine *wu-ts'ai* ("cinq couleurs"), 20,6 cm de diamètre. Dynastie Ming, marque du règne Wan-li (1573-1620).

Matinée de printemps dans le palais des Han, vers 1540, par Ch'iu Ying (vers 1495-1552). Détail d'un rouleau horizontal, encre et couleurs sur soie, 30,5 × 575 cm. Dynastie Ming, règne Chia-ching (1522-1567).

Matinée de printemps dans le palais des Han, de Ch'iu Ying, était l'une des œuvres les plus célèbres du XVIᵉ siècle. Le propriétaire d'origine, un riche marchand, l'acheta pour la somme record de 200 taels d'argent, plus d'une année de salaire d'un ministre à la Cour. Comparée aux productions artisanales de la Cour à la même époque (p. 97), la peinture de Ch'iu Ying – dont le thème, très ancien, est la vie quotidienne au Palais – est plus raffinée, à la fois dans le dessin et dans l'emploi des couleurs. Elle offre un aperçu imaginaire de ce qui se passait dans les salles interdites du Palais avec ses plaisirs nobles, pratiqués dans un décor luxueux – une célébration pleine d'éclat du mode de vie auquel aspiraient les riches membres de la Cour, à la fin des Ming. Le peintre réalisant un portrait de femme pourrait être un autoportrait. On retrouve un goût semblable pour les couleurs vives dans cette assiette de porcelaine avec un décor d'émaux sur couverte de cinq couleurs. On aperçoit, au centre, la triade taoïste des dieux de la Chance, de la Richesse et de la Longévité.

Une réunion de lohans, daté de 1596,
par Ting Yün-p'eng
(1547-1621). Détail d'un rouleau
horizontal, encre sur papier,
33,6 × 663,9 cm. Dynastie Ming,
règne Wan-li (1573-1620).

Les derniers règnes Ming virent se désintégrer l'ordre social :
la paysannerie, écrasée par de lourds impôts, la sécheresse et
d'autres désastres naturels, était souvent attirée par des
mouvements de rebellion et par les sectes religieuses
messianiques qui promettaient le salut. Les déités les plus
populaires, après les Huit Immortels taoïstes, étaient les dix-huit
lohans, saints ermites disciples du Bouddha qui vivaient dans les
montagnes en attendant la venue du futur Bouddha et qui
étaient doués de pouvoirs surnaturels. Ils sont reconnaissables à
leurs traits exotiques accentués et à leurs curieux attributs
personnels. Pindala, par exemple, est toujours accompagné de
son tigre apprivoisé – le saint rayonne dans cette peinture d'une
telle force spirituelle que l'on comprend le pouvoir qu'il exerce
sur le fauve ! Le même sujet est repris cent ans plus tard, dans
une racine de bambou sculptée (à droite). Il s'agit ici davantage
d'un talisman porte-bonheur que d'un objet de véritable
vénération, et Pindala comme le tigre ont perdu de leur aspect
farouche. Cette miniature, sculptée à une époque où l'Empire
vivait dans la paix et la prospérité, est typique de la virtuosité
des artisanats pratiqués dans les ateliers impériaux à la fin des
Ming et au début de la dynastie Ch'ing.

Le lohan Pindala et son tigre apprivoisé. Racine de bambou sculptée, 9,2 cm de hauteur. Dynastie Ch'ing.

A la fin de l'époque Ming, le goût du fantastique explique l'apparition d'œuvres bizarres ; Wu Pin, par exemple, s'intéressa tout particulièrement à la représentation d'images fantastiques ou exagérées, proches des caricatures. Dans cet album (à gauche), Wu transforme les enseignements ésotériques des soutras bouddhiques en images, souvent pleines d'humour, que le spectateur laïc pourra comprendre et apprécier. Ici un éléphant blanc, animal sacré du bouddhisme, offre timidement des fleurs de lotus à Samathabhadra, le bodhisattva dont il est la monture.

Le pichet (à droite), utilisé pour contenir du vin ou du thé, montre la même tendance à transformer l'ordinaire en étrange, voire en surprenant : le bec et l'anse ont été intelligemment sculptés sous forme de créatures imaginaires rampant autour du pot – représentant lui-même un rouleau de peinture ou un bagage ligaturé.

L'éléphant rend hommage au bodhisattva Samathabhadra, fin des années 1610, par Wu Pin (actif entre 1583 et 1626). L'un des feuillets de l'album *Vingt-cinq études des divinités bouddhiques du soutra Surangama*. Encre et couleurs sur soie, 62,2 × 35,2 cm. Dynastie Ming, règne Wan-li (1573-1620).

Pichet de porcelaine *te-hua*. 15,2 cm de hauteur. Fin de la dynastie Ming.

L'un des "Quatre Trésors" de l'atelier du lettré, le pain d'encre – les trois autres étant le pinceau, le papier et la pierre à encre – était moulé dans la suie que l'on produisait à partir d'une certaine essence de pin. Puis, le pain d'encre était frotté contre une pierre rugueuse avec de l'eau, et l'on obtenait ainsi la fameuse encre de Chine. Au cours de la dernière période Ming, les pains d'encre étaient devenus des objets élégants et décoratifs sur la table de travail. Fang Yü-lu, un artisan originaire de l'Anhui, engageait même des artistes professionnels pour créer des motifs destinés à les décorer. Par la suite, ces motifs étaient gravés sur bois et publiés par Fang dans une luxueuse édition. L'œuvre que l'on voit ici représente une célèbre pierre ornementale qui se trouvait dans l'atelier de Su Shi, poète du XIᵉ siècle. Elle évoquait pour lui le mont Ch'ou-ch'ih, un site taoïste sacré où un passage secret menait à un paradis rupestre. Ce même type de pierre ornementale a sans aucun doute inspiré Wu Pin dans *Gorges profondes et hautes cascades*, une version fantastique dérivée des paysages monumentaux des Song du Nord. Les formes de la montagne sont dues à l'imagination du peintre, non à une érosion naturelle. Si les pavillons et les ponts disséminés dans ces ravins appartiennent au monde réel, les pics puissamment sculptés détruisent l'illusion d'un ordre rationnel et suggèrent au contraire qu'il s'agit d'un monde d'évasion et de fantaisie.

Gorges profondes et hautes cascades, avant 1610, par Wu Pin (actif entre 1583 et 1626). Autrefois attribué à un artiste des Song. Détail d'un rouleau vertical, encre sur soie, 252,7 × 81,9 cm. Fin de la dynastie Ming.

Pain d'encre de Chine au décor
moulé, fabriqué par Fang Yü-lu
(mort vers 1608). 11,4 cm
de diamètre, 2,2 cm de hauteur.
Fin de la dynastie Ming.

Boire à l'aurore, daté de 1651, par Ch'en Hung-shou
(1598-1652). L'un des 20 feuillets (16 peintures,
4 calligraphies) de l'album *Seize scènes de la vie recluse*.
Encre et couleurs sur papier, 21,3 × 29,8 cm.
Début de la dynastie Ch'ing.

Coupe en forme de feuille de lotus.
Néphrite, 15,2 cm de longueur.
Fin dynastie Song, début dynastie Ming.

A la chute du dernier empereur Ming, en 1644, le peintre Ch'en Hung-shou se retira dans un monastère bouddhique, à l'âge de 46 ans, pour échapper aux persécutions politiques. Après sa tentative infructueuse pour secourir la cause Ming, Ch'en devint peintre professionnel et mena une vie excentrique et débauchée. Dans son album, *Seize scènes de la vie recluse*, peint quelques mois avant sa mort, l'artiste se penche avec nostalgie sur les satisfactions d'une existence recluse. Cette scène, qui en est extraite, fait référence au poète Su Shi qui, ayant l'habitude de boire du vin le matin, disait « arroser ses livres ». Installé confortablement dans son fauteuil de racine, le lettré, grisé, boit à petites gorgées dans une tasse en forme de feuille de lotus, une réserve de vin posée à ses côtés.

Ch'en aurait pu s'inspirer pour peindre sa tasse de cette coupe exquise en jade qui servait au calligraphe pour laver ses pinceaux. Les diverses nuances de la néphrite sont exploitées pour reproduire les couleurs réelles de la feuille de lotus sèche. Cet objet pourrait dater des Song du Sud, époque à laquelle la mode naturaliste inspirait de nombreux artistes.

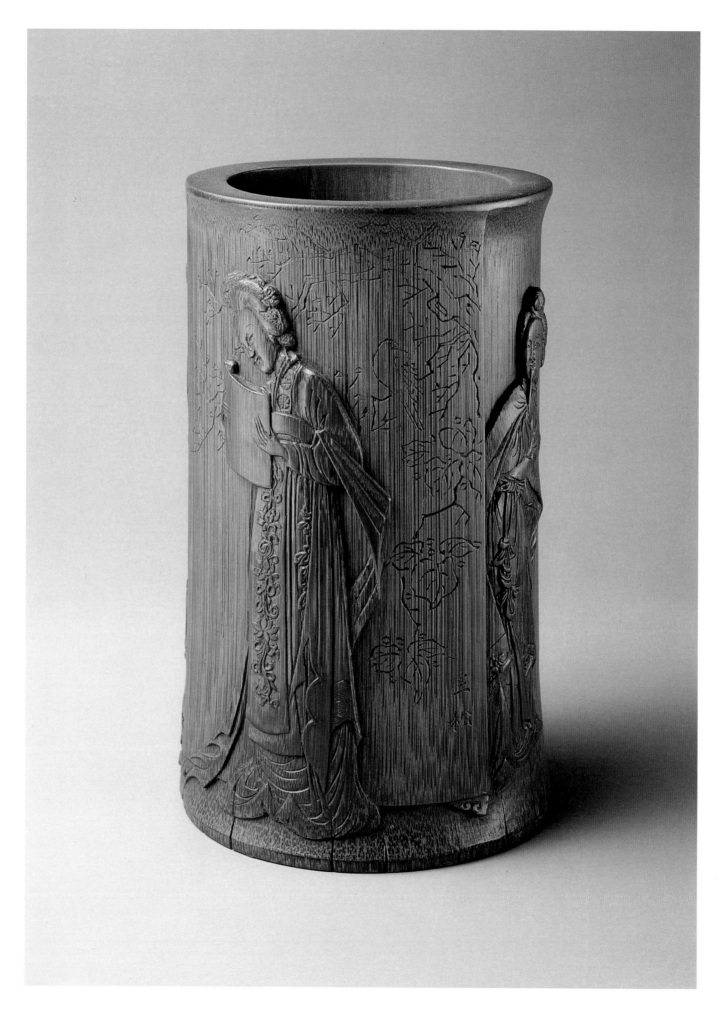

La gravure sur bambou atteignit son apogée au XVIIe siècle à Chia-ting (aujourd'hui près de Shanghaï). Ce pot à pinceaux – l'un des outils indispensables du lettré – est signé d'un maître du XVIIe siècle, Chu San-sung, qui y a gravé en fin relief des illustrations de Ch'en Hung-shou (p. 114) publiées vers 1640 dans une édition de la pièce de théâtre *Contes de la chambre de l'Ouest*. La pièce, une des plus populaires à l'époque, raconte l'histoire d'un lettré désargenté qui fait la connaissance d'une femme très belle alors qu'elle vit retirée dans un monastère. Un des côtés du pot (à gauche) montre la jeune femme en train de lire une lettre d'amour. Selon la vogue esthétisante du temps, l'artiste a inclus un tableau dans le tableau en gravant sur le paravent une peinture de "fleurs et oiseaux" qu'il a signée de son nom. De l'autre côté du pot, une nature morte rassemble sur une table de jardin un bouquet de lotus (fleur de l'amour), un encensoir de bronze et les ustensiles du calligraphe. La gravure est si délicate que l'on y distingue même les craquelures du vase de porcelaine ! En bas, à droite, cette coupelle de bambou, qui servait à laver les pinceaux, imite le tronc vide d'un vieux pin, et le jeune rejet qui jaillit du tronc desséché incarne les capacités de résistance et de vitalité dont est crédité le pin.

Deux faces d'un pot à pinceaux. Bambou gravé par Chu Chi-cheng, dit San-sung (mort après 1644), 8,6 cm de diamètre, 13,6 cm de hauteur. Fin de la dynastie Ming.

Coupelle à eau. Racine de bambou sculptée, 14 cm de longueur, 5,4 cm de hauteur. Dynastie Ming, règne Wan-li (1573-1620).

Les représentations de sites exceptionnels et de paysages incomparables devinrent de plus en plus populaires à mesure que la Chine s'ouvrait au monde. *Le mont Ch'i-hsia* (à gauche) est un site bouddhique fameux des environs de Nankin. Chang Hung, un peintre réaliste de Soochow, en décrit les détails en couches superposées baignées de lumineux lavis de couleur et donne à son paysage une sensualité probablement inégalée depuis les Song.

Tung Ch'i-ch'ang, le plus célèbre peintre et calligraphe de la fin des Ming, rejetait le syle réaliste et plaidait pour plus de subjectivité à travers l'étude des maîtres du XIVe siècle. Selon lui, la peinture ne devait pas être une représentation purement figurative mais abordée comme la calligraphie. Pour animer ses compositions d'une énergie graphique abstraite (à droite), Tung insiste alternativement sur l'apparence tri-dimensionnelle des rochers et autres motifs du paysage, puis détruit l'illusion en donnant la prééminence au travail du pinceau.

Le mont Ch'i-hsia, daté de 1634, par Chang Hung (1577-vers 1652). Détail d'un rouleau vertical, encre et couleurs sur papier, 332,4 × 101,9 cm. Dynastie Ming, règne Ch'ung-chen (1628-1644).

A l'ombre des arbres en été, vers 1635, par Tung Ch'i-ch'ang (1555-1636). Détail d'un rouleau vertical, encre sur papicr, 321,6 × 102,2 cm. Dynastie Ming, règne Ch'ung-chen (1628-1644).

La dynastie Ch'ing : l'orthodoxie mandchoue

En 1644, Pékin, la capitale septentrionale des Ming, fut prise par des rebelles, et les Mandchous, un peuple nomade du Nord-Est, en profitèrent pour envahir l'Empire. La dynastie Ch'ing qu'ils fondèrent resta au pouvoir jusqu'à la révolution de 1911 lors de la fondation de la République de Chine. Mariant habilement leurs talents guerriers aux traditions administratives locales, adoucissant peu à peu leur politique d'intimidation au profit de la conciliation, les Ch'ing adoptèrent une grande partie de la structure bureaucratique de leurs prédécesseurs, épousèrent leur idéal de gouvernement confucéen, et finirent ainsi par obtenir l'allégeance des Chinois. Mais l'apaisement des rebellions et l'intégration dans la nouvelle société des loyalistes fidèles aux Ming ne parvinrent à un plein succès qu'avec le règne K'ang-hsi (1662-1722). Alors seulement la paix fut rétablie et l'ère de la reconstruction put commencer.

K'ang-hsi eut d'abord à réduire la révolte des "Trois feudataires" au cours d'une guerre civile qui dura huit ans (1673-1681). C'est alors que l'Empereur mandchou partit pour le premier de ses voyages d'inspection en Chine méridionale, où se trouvaient les vieux centres de commerce et de culture tels que Hangchow, Soochow ou Nankin. Ainsi gagna-t-il à sa cause l'élite intellectuelle des loyalistes et consolida-t-il son pouvoir au Sud. K'ang-hsi prit également soin d'affirmer sa présence à la tête des armées en Mongolie, ou dans des parties de chasse en Mandchourie, afin de garder vivantes les traditions nomades ancestrales. Cet Empereur mandchou était un homme cultivé qui connaissait bien la littérature classique chinoise ; il fut à l'origine de nombreuses publications savantes : un dictionnaire de phrases poétiques, une géographie de l'Empire en cinq cents chapitres, un grand repertoire des peintres et calligraphes, enfin une encyclopédie massive, *Résumé des livres et illustrations des temps anciens et modernes*. En 1679, il organisa un examen spécial pour recruter les meilleurs lettrés de l'Empire, qui devaient collaborer à une compilation d'une histoire officielle des Ming.

Mais le mécénat de Kang-hsi dans ces grandes entreprises culturelles ne fit que s'inscrire dans une ancienne tradition. Bien que de très savants Jésuites fussent employés à la Cour depuis Matteo Ricci (à Pékin en 1601-1610), les empereurs firent peu de profit des connaissances technologiques de l'Occident. L'intérêt des intellectuels chinois restait toujours tourné vers l'étude critique du passé et l'évaluation de l'héritage immémorial.

Détail de *Cent chevaux*, par Lang Shih-ning. Voir pp. 134-135.

Le successeur de K'ang-hsi, Yung-cheng, qui régna de 1723 à 1735, finit de restructurer le système institutionnel de l'État, mais l'apogée de la dynastie est incarné par Ch'ien-lung, le petit-fils de K'ang-hsi. Pendant son règne qui dura de 1736 à 1795, il étendit son pouvoir sur les voisins de la Chine, Mongolie, Turkestan et Tibet. Grand collectionneur d'antiquités et amateur de travaux historiques et littéraires, il exerça une immense influence sur les activités culturelles de son temps. Il prit l'initiative de plusieurs publications majeures qui employaient des milliers de lettrés. La plus importante occupa quinze mille copistes pendant presque vingt ans : ceux-ci produisirent sept exemplaires de la *Bibliothèque complète des Quatre Trésors* de plus de 79 000 volumes contenant des transcriptions ou des résumés de tous les manuscrits précieux conservés au Palais ou collectionnés dans tout l'Empire. Cette approche encyclopédique de la culture s'exprime également dans la constitution de collections de chefs-d'œuvre, patrimoine aujourd'hui abrité par le Musée national du Palais.

Les lettrés réagirent de deux manières à l'invasion mandchoue. Ceux qui étaient restés loyaux envers les Ming, déçus par la faillite des idéaux confucéens qui n'avaient pu sauver le pays de la corruption et de l'occupation étrangère, se réfugièrent dans l'anonymat des monastères bouddhiques ; certains, pour échapper à la persécution, se cachaient à la campagne et travaillaient dans l'isolement, loin des foyers culturels traditionnels. Ce furent des maîtres fortement individualistes. D'autres peintres réagirent plutôt en cherchant à préserver les valeurs de la culture traditionnelle et à peindre d'une façon qui incarnât les principes des vieux maîtres.

Bien entendu, le mécénat artistique n'avait pas été prioritaire durant les premières années de la nouvelle dynastie. Il n'existait plus d'institution qui ressemblât à une académie de peinture, et les ateliers impériaux avaient disparu – mis à part les artisans chargés de l'entretien et de la décoration des palais. Ce n'est qu'à la fin du XVIIe siècle que les arts réapparurent à la Cour : en 1689, K'ang-hsi commanda un rouleau pour commémorer son voyage d'inspection dans le Sud. Ce travail fut exécuté en prenant pour modèle la peinture des amateurs lettrés, et désormais l'art de cour des Ch'ing put s'identifier avec les plus hautes traditions de l'art chinois.

Dans les arts plastiques, comme en peinture, les Mandchous étaient conservateurs et, plutôt que l'innovation, ils choisissaient la renaissance des modèles éprouvés et la perfection technique. Dans les années 1680, les ateliers impériaux officiels furent rétablis à Pékin comme dans les capitales provinciales ; les manufactures de Chingtechen, dans le Kiangsi, furent reconstruites et, une fois de plus, la ville redevint la capitale de la porcelaine. Tandis qu'au début du règne K'ang-hsi, les céramiques n'étaient guère plus que des versions raffinées de modèles populaires, à la fin du même règne, le répertoire s'était élargi avec la résurgence des monochromes et la création d'une nouvelle porcelaine décorée d'émaux polychromes sur couverte dans des tons pastels. Connue sous le nom de "famille rose", cette porcelaine s'inspirait de prototypes occidentaux.

Vers le milieu du XVIIIᵉ siècle, les porcelaines reprenaient la plupart du temps les formes créées sous les Song ou au début des Ming. Les thèmes des décors, eux-mêmes, copiaient des modèles anciens, en combinant souvent ensemble la peinture, la calligraphie et la poésie. Mais le style européen devint de plus en plus populaire dans la réalisation des peintures. Utilisant un nouvelle formule de glaçure, les céramistes pouvaient accroître la précision et l'aspect décoratif des détails. Imitant toutes sortes de matériaux – le métal, la pierre, le bois – en créant des effets de trompe-l'œil, ils en vinrent presque à nier la primauté des caractères spécifiques de l'art céramique.

Le goût de la virtuosité se retrouve dans la production de sculptures de petit format dans des matériaux aussi divers que la pierre et le bois, le bambou et l'ivoire, la corne de rhinocéros et la gourde, le corail et la laque. Les artisans des villes méridionales – Canton pour l'ivoire, Soochow pour les jades et les pierres dures, Chia-ting pour le bambou – étaient recrutés par les ateliers impériaux de Pékin pour exécuter aussi bien les objets rituels et les ustensiles quotidiens que le décor des salles du Palais. L'art du laqueur connut une explosion avec la création des laques noires incrustées de nacre ou gravées d'or et d'argent, laques couvertes de peintures, et ce triomphe de l'époque, les laques rouge cinabre sculptées.

La peinture de Cour connut une renaissance sous le règne de Ch'ien-lung, car l'Empereur voulait immortaliser les événements de son règne – conquêtes militaires, chasses, tributs des peuplades soumises ou prouesses architecturales – et affirmer son image de chef universel. Format monumental, virtuosité technique et complexité descriptive caractérisent cet art. Le réalisme illusionniste, plein d'éclat, introduit en Chine par les Jésuites, et notamment par le peintre et missionnaire italien Giuseppe Castiglione (1688-1766), convenait parfaitement au projet impérial. Arrivé à Pékin en 1715, Castiglione resta à la Cour durant cinquante ans sous le nom chinois de Lang Shi-ning. Si le missionnaire dut siniser sa peinture, ses collaborateurs chinois lui empruntèrent l'art de modeler les volumes par l'ombre et la lumière. Ce style hybride se retrouvait en architecture dans les édifices du Yüan-ming-Yüan, l'enclos européen que Ch'ien-lung fit construire au palais d'Été.

Assiette décorée d'un paysage. Porcelaine peinte d'émaux bleus et rouges de cuivre sur couverte, 14,3 cm de diamètre. Dynastie Ch'ing, marque du règne Ch'ien-lung (1736-1795).

Paysage, par Wang Hui (1632-1717). Détail de l'un des 12 feuillets de l'album *Paysages et fleurs*, daté de 1672, par Wang Hui et Yün Shou-p'ing (1633-1690). Encre et couleurs sur papier, 28,6 × 43,2 cm. Dynastie Ch'ing, règne K'ang-hsi (1662-1723). Voir aussi p. 126.

A la fin du XVIIᵉ siècle, Wang Hui fut l'interprète le plus renommé des modèles de paysage du passé : « Soulever les montagnes des Song avec les traits de pinceau des Yüan », disait-il. Dans cette vision printanière, il réduit le style descriptif "bleu et vert" des grands panoramas du XIIᵉ siècle à un motif abstrait dynamique. En conjugant composition spectaculaire et travail virtuose du pinceau, il parvient, malgré sa précision technique, à exprimer une intense émotion.

La précision est aussi un élément dominant dans la décoration en bleu-et-blanc de cette assiette. Les divers motifs du paysage, similaires à ceux de Wang Hui, sont savamment ordonnés pour se conformer à la forme circulaire du support. Au cours du XVIIᵉ siècle, le paysage apparaît de plus en plus fréquemment dans la céramique, aux dépens de sujets plus narratifs ; ce qui prouve à quel point le goût de l'élite lettrée se généralisait. Comme la peinture et la cuisson des émaux se faisaient dans les ateliers impériaux, il est probable que ce paysage ait été exécuté par un peintre de la Cour.

125

Pivoine, par Yün Shou-p'ing (1633-1690).
Détail de l'un des 12 feuillets de l'album *Paysages et
fleurs*, daté de 1672, par Yün Shou-p'ing et Wang Hui
(1632-1717). Encre et couleurs sur papier,
28,6 × 43,2 cm. Dynastie Ch'ing, règne K'ang-hsi
(1662-1723). Voir aussi p. 124.

La tradition veut que Yün Shou-p'ing refusa de rivaliser avec le génie paysagiste de son ami Wang Hui et choisit de se consacrer aux fleurs. Il devint l'un des plus grands maîtres du genre. Passant quelques mois ensemble en 1672, les deux amis réalisèrent chacun six feuillets d'un album (voir p. 124). Comme chez les maîtres des Song du Nord, les fleurs de Yün sont peintes selon la méthode "sans os" (sans contour à l'encre), avec des couleurs brillantes qui en avivent le réalisme. Wang Hui le loue dans son inscription et note : « Les pivoines sont difficiles à peindre, parce qu'elles deviennent vite communes et vulgaires. Sous les mains des artisans qui manient le vert et le rouge sans aucune inspiration, un millier de fleurs et une myriade d'étamines se ressemblent toutes. »

A droite, ce vase de cuivre émaillé prouve que tous les artisans ne manquaient pas d'inspiration picturale. Tout en rappelant des motifs créés par des peintres comme Yün Shou-p'ing, ces pivoines où jouent délicatement l'ombre et la lumière suggèrent peut-être une source occidentale. Cet objet a probablement été exécuté dans l'un des ateliers du Palais spécialement créés sous les Ch'ing et témoigne d'une fusion récente entre techniques et sensibilités chinoises et européennes.

Vase de cuivre décoré d'émaux polychromes, 13,6 cm de hauteur. Dynastie Ch'ing, marque du règne K'ang-hsi (1662-1722).

L'amour des Chinois pour cette herbe géante qu'est le bambou est évident dans ces deux élégants objets utilitaires, dont la forme même est inspirée par la plante. Objet indispensable sur la table du calligraphe, l'appui-bras est utilisé pour empêcher le poignet et l'avant-bras de toucher le papier. Il est ici sculpté dans du bambou et représente deux morceaux de tige parallèles. L'inscription poétique et la branche couverte de feuilles sont gravées en réserve dans l'écorce et ressortent ainsi sur le fond fibreux plus foncé. Une représentation plus stylisée du bambou est à l'origine de ce pot à thé (à droite) en porcelaine. Le corps principal tout comme le couvercle sont décorés en bandes suggérant des tiges de bambou dont chaque nœud produit des bouquets de feuilles.

Appui-bras. Bambou gravé, 14,9 × 4,4 cm. Dynastie Ch'ing.

Pot à thé. Porcelaine bleu-et-blanc sous couverte, 17 cm de hauteur, 11,4 cm de diamètre de la base. Dynastie Ch'ing, marque du règne K'ang-hsi (1662-1722).

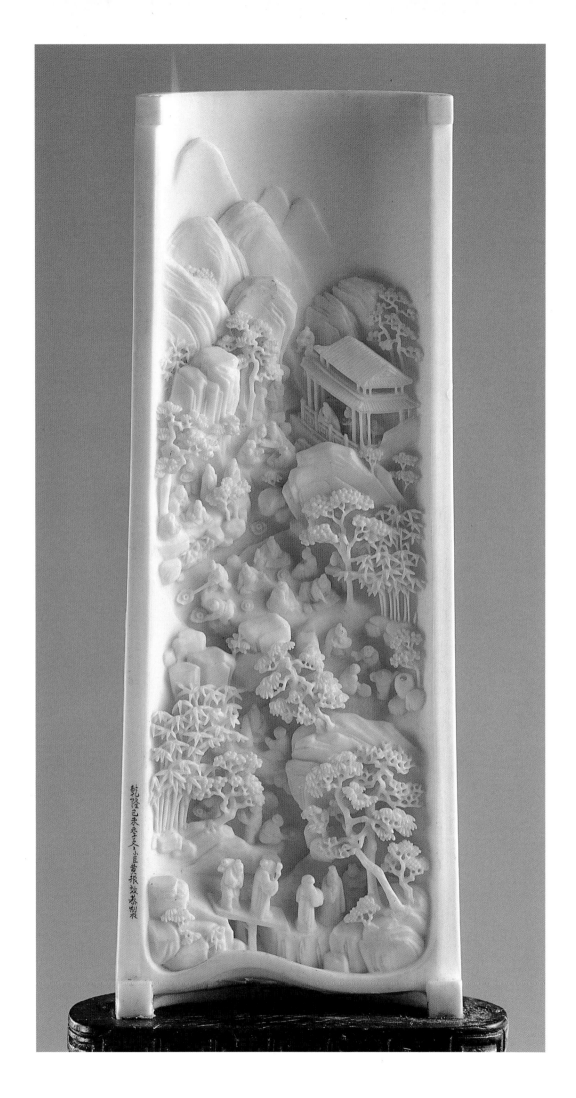

Les motifs des peintures ont souvent inspiré les artisans. C'est le cas de cet ivoire, plus tard transformé en bibelot décoratif, et qui fut sculpté par un célèbre artisan cantonais employé dans les ateliers du Palais au début du règne de Ch'ien-lung : Huang Chen-hsiao. De façon inattendue, Huang a sculpté ce précieux objet sous la forme d'un segment de bambou ordinaire comme le suggère la ligne sinueuse qui limite le bas de la scène. Celle-ci représente un paysage où eut lieu la fameuse réunion littéraire du "Pavillon des orchidées", au cours de laquelle Wang Hsi-chi, maître du IVe siècle, créa la calligraphie cursive la plus célèbre, peut-être, de l'histoire chinoise (p. 19). On retrouve le même amoncellement de rochers, entassés en hauteur et cascadant le long d'une structure serpentine appelée "veine de dragon", dans les paysages contemporains comme celui de Wang Yüan-ch'i, à droite. Tung Ch'i-ch'ang (p. 119), conseillait, pour animer une peinture, de la composer selon une structure dynamique ; Wang va plus loin en utilisant la couleur et les traits de pinceau comme parties intégrantes de la structure. La couleur elle-même donne énergie et clarté à la composition.

Ivoire sculpté, daté de 1739-1740, par Huang Chen-hsiao. 9,2 × 4 cm. Dynastie Ch'ing, début du règne Ch'ien-lung (1736-1795).

Couleurs d'automne sur le mont Hua, daté de 1693, par Wang Yüan-ch'i (1642-1715). Rouleau vertical, encre et couleurs sur papier, 115,9 × 49,8 cm. Dynastie Ch'ing, règne K'ang-hsi (1662-1722).

L'un des aspects les plus étonnants de la peinture de Cour du XVIIIᵉ siècle est l'influence des techniques européennes de représentation (perspective et ombres). La figure clé de cette nouvelle esthétique fut le jésuite italien Giuseppe Castiglione, dont la peinture illusionniste fascina la Cour. Né à Milan, il arriva en Chine comme jeune missionnaire à l'âge de 27 ans et fut engagé au Palais dans l'atelier des émaux. Huit ans plus tard, il avait établi sa réputation et pris son nom de peintre, Lang Shih-ning. En 1723 commençait le règne de Yung-cheng, et partout dans l'Empire apparurent des signes favorables : champs de céréales à plusieurs épis, lotus jumeaux... Castiglione célébra l'événement en peignant ce *Bouquet de bon augure*. Il utilise les techniques chinoises de l'encre et des couleurs minérales sur la soie, mais il donne au vase une qualité tridimensionnelle spectaculaire obtenue grâce à l'emploi du clair-obscur, venu de l'Occident, et au modelage des volumes dans l'ombre et la lumière.

Les gravures et les peintures européennes importées en Chine contribuèrent à lancer une mode hybride ; les arts décoratifs y puisèrent des motifs exotiques nouveaux, comme en témoigne le vase, à droite. Le sujet central représentant une mère et son enfant est encadré dans un fond à millefleurs à la française et, si les anses sont des dragons chinois stylisés, la décoration en grisaille qui entoure le col rappelle certaines porcelaines de Limoges.

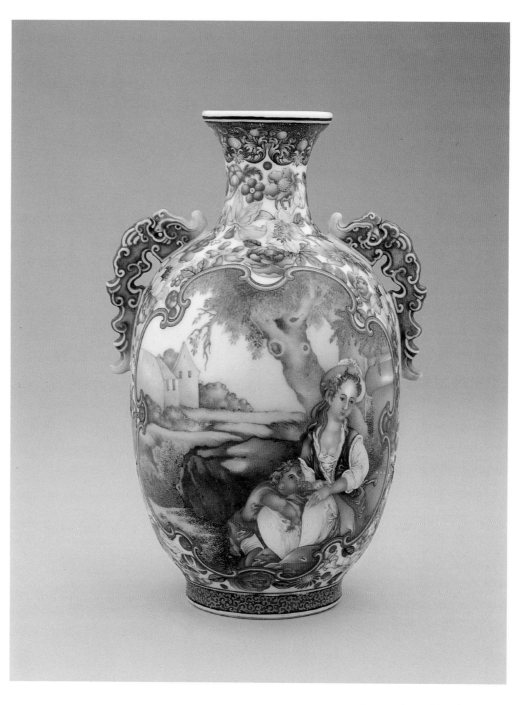

Vase de porcelaine décoré d'émaux polychromes. 19 cm de hauteur. Dynastie Ch'ing, règne Ch'ien-lung (1736-1795).

Bouquet de bon augure, daté de 1723, par Lang Shih-ning (Giuseppe Castiglione, 1688-1766). Rouleau vertical, encre et couleurs sur soie, 173 × 86 cm. Dynastie Ch'ing, règne Yung-cheng (1723-1736).

Cent chevaux, daté de 1728, par Lang Shih-ning
(Giuseppe Castiglione, 1688-1766). Détail d'un
rouleau horizontal, encre et couleurs sur soie,
94,6 × 776,3 cm. Dynastie Ch'ing,
règne Yung-cheng (1723-1736). Voir p. 120.

Cent chevaux, un rouleau de près de huit mètres de long, est considéré comme le chef-d'œuvre du père Castiglione. Commandé en 1723, il fut terminé cinq ans plus tard. Lorsque l'empereur Ch'ien-lung le vit, il nomma Castiglione premier peintre de Cour. Pour exécuter une composition aussi vaste, l'artiste fit dans un premier temps un dessin préparatoire sur papier, en esquissant ses motifs à la craie. Puis, il en redéfinit les contours plus précisément à l'encre en utilisant une plume, courante en Occident, au lieu du pinceau chinois. Peindre sur soie ne permettant aucune correction ni repentir, Castiglione travailla ses motifs dans leurs moindres détails avant de les reporter sur son support. Lorsqu'il commença son rouleau, il n'avait pas encore une maîtrise totale des conventions picturales chinoises. Ses chevaux et ses arbres rappellent bien des prototypes chinois, mais ce paysage horizontal obéit encore à la perspective européenne, les figures diminuant avec l'éloignement. Il en va comme si l'artiste s'était servi d'une toile européenne qu'il aurait simplement étirée pour en faire une longue frise.

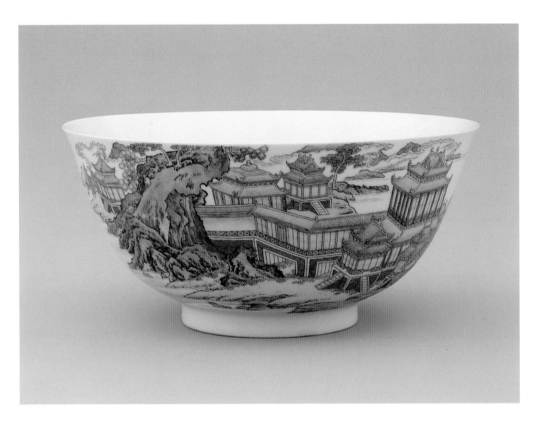

Bol de porcelaine peinte d'émaux
polychromes. 14,6 cm de
diamètre, 6,3 cm de hauteur.
Dynastie Ch'ing, marque du règne
Ch'ien-lung (1736-1795).

Le douzième mois est l'un des rouleaux verticaux qui fait partie
d'un ensemble peint par des artistes de Cour anonymes
illustrant la vie de palais tout au long de l'année. On peut voir
ici une représentation traditionnelle des cours intérieures d'un
palais situé au pied des montagnes, et qui utilise néanmoins les
nouvelles normes occidentales de la perspective linéaire. Cette
peinture passe en revue les activités hivernales, telles que des
enfants construisant un lion de neige et se promenant en
traîneau sur le lac gelé. Elle témoigne d'un goût récent pour les
nouveautés architecturales : ainsi le portail fantaisiste (au centre)
ou le bâtiment dont le deuxième étage est de style occidental.
La vogue consistant à empiler des rocailles, pour donner
l'impression que le Palais surgit des contreforts de la montagne,
a inspiré également l'auteur de ce bol de porcelaine, au décor
polychrome. Ce style d'architecture de jardin, né dans le Sud,
fut introduit à Pékin après que les empereurs K'ang-hsi et
Chien-lung l'eurent admiré lors de leurs voyages d'inspection.

Le douzième mois. Anonyme.
Rouleau vertical, l'un des 12
d'une série. Encre et couleurs
sur soie, 177,2 × 96,5 cm.
Dynastie Ch'ing, règne
Ch'ien-lung (1736-1795).

Pot à pinceaux en gourde
moulée et sa boîte de bois
gravée. 14,3 cm de hauteur.
Dynastie Ch'ing, règne
K'ang-hsi (1662-1722).

Ces deux objets ont une relation toute particulière avec
l'empereur K'ang-hsi, qui régna à partir de 1662 pendant
soixante ans. Le pot à pinceaux, rectangulaire, fut fabriqué à
partir d'une gourde cultivée spécialement dans les jardins de la
Cité interdite : enfermée dans un moule d'argile dès sa
naissance – moule comportant quatre panneaux couverts
d'inscriptions – elle en prit la forme en grandissant. L'Empereur
l'offrit par la suite à son petit-fils préféré, le futur Ch'ien-lung,
qui fit exécuter la boîte de bois gravée.
La pierre à encre, quant à elle, est sculptée dans une pierre
verdâtre particulièrement prisée de K'ang-hsi, parce qu'elle
venait de Mandchourie, sa terre ancestrale. On la trouvait sur les
bords de la Songari (Sung-hua-chiang), un affluent de l'Amour,
et, traditionnellement, on y taillait des meules à grain ; c'est
l'Empereur lui-même qui suggéra d'en faire des pierres à encre.
Tirant profit des couleurs naturelles de la pierre, l'artiste a
sculpté celle-ci en forme de melon encore relié à sa tige
ligneuse. Le couvercle soulevé, la pierre évoque le melon
fractionné en deux ; la partie rugueuse sert à frotter le pain
d'encre tandis que la cavité sert d'encrier.

Pierre à encre (à gauche, son couvercle).
Pierre de la Songari, 14,6 × 8,9 cm ;
2,9 cm de hauteur. Dynastie Ch'ing,
règne K'ang-hsi (1662-1722).

"Boîte à trésors" contenant trente
bibelots précieux. Bois rouge *tzu-t'an* et
incrustations diverses, 25,1 × 25,1 cm,
20,9 cm de hauteur. Dynastie Ch'ing,
règne Ch'ien-lung (1736-1795).
A droite, la boîte est ouverte.

Protéger et présenter les collections impériales dans la "Cité
interdite" était un art à part entière. Les coffrets les plus
ingénieux et les plus exquis sont les "boîtes à trésors" où l'on
enfermait des répliques miniatures des antiquités appartenant
aux collections royales. Il est permis d'y voir soit une forme
triviale de l'art, soit, au contraire, un fascinant microcosme du
goût de la Cour. L'imagination et l'astuce sont manifestes dans
l'ébénisterie aussi bien que dans le choix des bibelots. Les

quatre côtés de cette boîte sont décorés de peintures de paysages
d'après les quatre grands maîtres de l'époque Yüan (voir pp. 70-
71, 72, 75 et 77) et de calligraphies écrites selon les modèles
des quatre grands maîtres de l'époque Song (pp. 35 et 36).
Chaque moitié de côté s'ouvre dans chaque angle, dévoilant
quatre petites étagères en forme d'éventail où sont exposées des
curiosités minuscules. Le socle contient également des parties
cachées. Un disque de jade *pi* est incrusté dans le dessus carré

du coffret, inversant l'immémorial symbole de la Terre carrée inscrite dans le Ciel circulaire, comme pour suggérer que l'univers tout entier s'est magiquement réduit au contenu de la boîte. Il est vrai que, selon la conception chinoise, tout ce que l'univers comptait qui fût digne de connaissance se trouvait à l'intérieur de l'Empire. En témoignent ces paroles de l'empereur Ch'ien-lung adressées en 1793 à Lord MacCartney, émissaire de Georges III, roi d'Angleterre : « Nous possédons tout, nous ne manquons de rien. » Mais les excès de Ch'ien-lung durant son règne – la construction de palais et de jardins grandioses, de coûteuses campagnes militaires en Asie centrale et sa passion insatiable pour les œuvres d'art et les antiquités – ruinèrent l'État et l'aveuglèrent devant la puissance grandissante de l'Europe. Les collections abritées par le Musée national du Palais – son ultime héritage – sont une véritable "boîte à trésors" de l'histoire culturelle chinoise.

Chronologie
des dynasties chinoises

Sont replacées dans cette chronologie toutes les œuvres figurant dans l'ouvrage.

Vers 2100-
vers 1600 av. J.-C.

DYNASTIE HSIA (non confirmé)
page 12 : disque de néphrite perforé *pi*.

Vers 1600-
vers 1100 av. J.-C.

DYNASTIE SHANG
page 13 : chaudron tripode *ting* de bronze, avec pictogrammes, entre 1300 et 1050.
page 57 : tablette honorifique *kuei* de néphrite, avec inscription du XVIIIe siècle.

Vers 1100-
vers 256 av. J.-C.

DYNASTIE CHOU
Vers 1100-771 av. J.-C. – DYNASTIE DES CHOU OCCIDENTAUX
page 14 : vase à vin *hu* de bronze.
770-256 av. J.-C. – DYNASTIE DES CHOU ORIENTAUX
770-481 av. J.-C. – période des "Printemps et Automnes"
481-221 av. J.-C. – "Sept royaumes combattants"
page 15 : paire de pendentifs *p'ei* de néphrite en forme de dragons.

221-206 av. J.-C.

DYNASTIE CH'IN. Capitale Hsienyang, près de Sian, dans le Shensi.

206 av. J.-C.-
220 ap. J.-C.

DYNASTIE HAN
206 av. J.-C.-9 ap. J.-C. – DYNASTIE DES HAN OCCIDENTAUX. Capitale Ch'angan (Sian), dans le Shensi.
9-23 – INTERRÈGNE DE WANG-MANG
page 16 : mesure *lian* de bronze datée de 9 ap. J.-C.
page 17 : chimère *pi-hsieh* de néphrite.
25-220 – DYNASTIE DES HAN ORIENTAUX. Capitale Loyang, dans le Honan.

220-589

"SIX DYNASTIES"
220-265 – "TROIS ROYAUMES"
265-317 – DYNASTIE DES CHIN OCCIDENTAUX. Capitale à Loyang, dans le Honan.
317-589 – "DYNASTIES DU SUD"
386-581 – "DYNASTIES DU NORD"
page 19 : calligraphie cursive de Wang Hsi-chih (303-361).

581-618

DYNASTIE SUI. Capitale Ch'angan (Sian) dans le Shensi.

618-907

DYNASTIE T'ANG. Capitale Ch'angan (Sian) dans le Shensi.
page 18 : calligraphie sur tablettes de pierre.
page 20 : calligraphie de Huai-su, datée de 777.

907-960

"CINQ DYNASTIES DU NORD". Capitales Loyang et Pien (K'aifeng), dans le Honan.

916-1125

DYNASTIE LIAO (Tartares Khitan sinisés). Capitale Yentu (Pékin), dans le Hopei.

1644-1911   **DYNASTIE CH'ING** (Mandchous). Capitale Pékin.

1796   Mort de l'empereur Kao Tsung, règne Ch'ien-lung (1736-1796).
1925   Le Palais impérial de Pékin ("Cité interdite") devient le Musée national du Palais.
1948-1949   Le gouvernement nationaliste expédie une partie des collections du musée à Taiwan.
1965   Inauguration à Taipei du nouveau Musée national du Palais.